André Dubreux

Vivre sa solitude

Isabelle Delisle

Vivre
sa solitude

Comment l'accueillir dans sa vie

NOVALIS

De la même auteure

- *J'ai le goût de vivre*, Montréal, Éditions du Jour, 1975.

- *Vivre en amour*, Montréal, Éditions du Jour, 1978. Réédition 1988, Éditions de Mortagne.

- *À l'écoute de sa vie: Concept Santé*, Montréal, Éditions Guérin, 1979. Réédition 1986, Éditions de Mortagne.

- *Précis de nutrition*, Montréal, Éditions Guérin, 1980.

- *Vivre son mourir: de la relation d'aide aux soins palliatifs*, Boucherville, Éditions de Mortagne, 1982.

- *Les grands tournants de la vie: l'adaptation aux changements*, Boucherville, Éditions de Mortagne, 1982.

- *Survivre au deuil*, Montréal, Éditions Paulines, 1987.

- *Le soir de la vie* (*Défis de la retraite*, brochure H), Ottawa, Novalis, 1988.

- *La visite et le soin des malades*, Ottawa, Novalis, 1989.

Vivre sa solitude
est publié par Novalis.

Couverture et maquette: Gilles Lépine.

© **Copyright 1992:** Novalis, Université Saint-Paul, Ottawa.

Dépôts légaux: 1er trimestre 1992
Bibliothèque nationale du Canada
Bibliothèque nationale du Québec

Novalis, C.P. 990, Outremont (Québec) H2V 4S7

ISBN: 2-89088-536-4

Réimpression mai 1992

Imprimé au Canada

Données de catalogage avant publication (Canada)
Delisle Lapierre, Isabelle, 1931–
    Vivre sa solitude : comment l'accueillir dans sa vie
    Comprend des références bibliographiques.
    ISBN 2-89088-536-4
    1. Solitude.I. Titre.
BF575.L7D44 1992   155.9'2   C92-096189-4

NOVALIS

*Je dédie cet ouvrage à mes bons amis
Céline et Michel Grandchamp
qui m'ont permis de vivre en solitude
pendant ces semaines pour écrire cet ouvrage
et qui savent très bien vivre leur solitude
chacun à leur façon.*

Préface

Y a-t-il un hasard ou une fatalité qui tisse l'existence humaine sur terre ou au contraire est-il de la responsabilité de chaque individu de construire ou de détruire sa propre existence en vue de contribuer à son bonheur ou à son malheur?

Quoi qu'il en soit, il y a des périodes dans notre cycle de vie où tout semble aller comme sur des roulettes. La chance nous sourit à tout moment et dans tous les domaines: en amour, en amitié, au travail, etc. Mais il est d'autres périodes où le choix est plutôt limité, car la vie nous impose son déterminisme avec tout un cortège de contraintes pour nous obliger à suivre la route qu'elle nous a tracée. Bon gré, mal gré, nous nous exécutons sans dévier de l'itinéraire déjà prévu. Ce destin «écrit» intervient dans le cheminement d'Isabelle Delisle en prenant le visage d'un écrivain très prolifique. En effet, elle s'est retirée dans la solitude, s'imposant une sorte de retraite fermée pour produire son dixième volume, sous le titre évocateur et provocateur de *Vivre sa solitude*.

Cet acte voulu et désiré, de durée limitée, a beaucoup de charme. Il s'agit d'un splendide isolement, un isolement générateur de créativité. Mais les sentiments de solitude et d'isolement existent à l'état endémique et n'ont pas toujours et nécessairement des effets aussi bénéfiques. Chacun de nous, quels que soient son âge, sa profession, son niveau d'instruction, ses moyens, ses goûts et ses opinions, peut éprouver, à un moment ou l'autre, ce sentiment désagréable d'abandon et de solitude. Les pertes, les déceptions, les séparations, les déclins et les déficits, tant au plan physique que mental, surviennent tout au long de la vie. Leurs effets cumulatifs se font plus durement sentir au fur et à mesure que l'on avance en âge, si bien qu'avec l'insuffisance des revenus, la solitude et l'isolement social représentent le problème majeur de la vieillesse dans les sociétés occidentales. Il s'agit bel et bien d'un rétrécissement de l'espace social occasionné par des problèmes de contacts sociaux, de communication et donc d'adaptation.

Sans avoir la prétention de contribuer directement à une recherche scientifique sur la solitude et l'isolement social, ce livre s'efforce plutôt de nous aider à mieux circonscrire les diverses facettes de cette problématique. Avec sensibilité et émotion, l'auteure nous fournit un maximum d'informations pertinentes et justes sur le sujet. Pour ce faire, Isabelle se met en cause personnellement, se considérant elle-même comme une variable très importante de cette réflexion. Elle partage avec le lecteur ce qu'elle a été, ce qu'elle est, ce qu'elle a vécu et ce qu'elle vit au présent. Par ailleurs, elle nous apporte, sous forme de témoignages percutants, le reflet de vécus personnels d'autres victimes de la solitude et de l'isolement social.

En définitive, *Vivre sa solitude* aborde un thème d'une importance vitale pour les initiés comme pour le grand public puisqu'il s'agit d'un phénomène humain universel qui n'est pas la condition propre à un groupe d'âge ou à une classe sociale. Sa lecture aidera sûrement les esseulés, les isolés et les solitaires à voir un peu plus clair dans leur tunnel. Il servira également de guide aux intervenants en gérontologie et en thanatologie en vue de réduire le halo injuste et austère qui entoure la dernière étape de la vie des personnes vieillissantes, en phase terminale et mourantes.

Mohammed B Khalid
Université du Québec à Hull

Parce qu'on peut acheter le plaisir mais pas l'amour

    le spectacle mais pas la joie

    l'esclave mais pas l'ami

    la maison mais pas le foyer

    les aliments mais pas l'appétit

    les livres mais pas la culture

    les tranquillisants mais pas la paix

    les indulgences mais pas le pardon

    de la terre mais pas le ciel.

Quand on a compris «ça», chaque réveil devient merveille.

                            Brigitte Charneux

Introduction

Le sentiment de solitude est sans nul doute le phénomène psychologique le plus fréquemment vécu par l'être humain aux différents âges de la vie. Face à ce grand besoin de vivre intensément chaque minute qui s'offre à nous, la solitude est pour certains une démarche intérieure voulue et choisie, tandis que pour d'autres elle est un boulet. Pour chacun, elle est une réalité de la naissance jusqu'à la mort.

Le sentiment de solitude est souvent vécu comme un manque, une souffrance, un vide à combler. Beaucoup de gens sont constamment entourés dans leur vie et pourtant souffrent de solitude. D'autres, par contre, se sentent épanouis quand ils sont en compagnie d'une ou plusieurs personnes, mais ressentent un vide existentiel aussitôt qu'ils se retrouvent seuls face à eux-mêmes. Comment expliquer ce «mal d'être»? La personne peut-elle neutraliser son angoisse face à la solitude? Existe-t-il un lien entre sentiment d'identité et solitude? Peut-on apprivoiser la solitude? La solitude peut-elle être vécue avec satisfaction, paix, sérénité?

Plusieurs personnes qui vivent différentes solitudes ont bien voulu participer à cette recherche, en partageant leur vécu. Chers lecteurs, ce livre, je vous l'offre comme un cadeau. Il est une gerbe que j'ai préparée pour vous dans la solitude, entourée de grands arbres remplis du gazouillis des oiseaux, face à un beau lac. Puisse-t-il vous rejoindre et vous aider à intégrer la solitude, à l'accueillir dans votre vie et à en retirer tous les bénéfices qu'elle peut vous apporter!

Première partie

La solitude à tout âge

Chapitre 1

Le sentiment
de solitude

Plusieurs auteurs ont tenté de décrire la solitude. L'un d'entre eux y est parvenu en jouant sur le mot «seul»[1]. Dans ce mot, il y a quatre lettres, quatre définitions de la solitude.

S   comme solitaire, c'est-à-dire seul par goût de la solitude.

E   comme esseulé, c'est-à-dire seul parce qu'abandonné des autres.

U   comme unique, c'est-à-dire seul de son espèce.

L   comme libre, c'est-à-dire seul à décider.

La solitude est souvent présentée comme quelque chose de difficile, de pesant, comme un mur qui vous enserre. On parle de la rompre, de la briser, de s'en évader comme d'une prison. Elle peut être ressentie à n'importe quel âge. La solitude peut être aussi vécue positivement et apporter à celui qui la vit paix, joie et sérénité.

---

[1]   Michel HANNOUN, «Inventaire de nos solitudes», *Magazine littéraire* (juillet-août 1991), p. 56.

J'écoutais dernièrement des témoignages de jeunes enfants qui s'ennuyaient et se sentaient seuls depuis la séparation de leurs parents. D'autres disaient se sentir abandonnés de leurs amis et se retrouver seuls pour jouer.

À l'adolescence, se sentir seul, c'est parfois être incapable de communiquer, c'est parfois se croire perdu, incompris, abandonné, réduit à soi-même.

Combien de fois, de dire Roger, j'aurais voulu me jeter dans les bras de ma mère et lui crier mes peines et mes craintes. Je n'en avais pas le droit; j'étais un garçon et un garçon ça ne pleure pas, ça se prépare à devenir un homme. Mais avant de devenir un homme, il faut être un adolescent. Je réalise aujourd'hui combien il aurait été important que je puisse avoir des réponses à mes questions d'adolescent. Comme j'ai pu faire fausse route à cet âge où je vivais tant d'inconnu et de mystères! Je réalise comment j'ai pu manquer d'un père avec qui j'aurais pu parler de mes découvertes, de mes inquiétudes, des mystères de la vie. J'ai inconsciemment recherché ce père qui me manquait à travers mes oncles. Il faut croire que je recherchais plus que l'idéal puisque je n'ai jamais réussi à trouver celui qui aurait pu m'écouter. Combien de frustrations j'ai pu vivre, n'ayant personne avec qui partager toutes ces découvertes de l'adolescence.

N'avons-nous pas vécu à différents moments de notre vie l'ennui, l'insécurité, le vide, le manque de confiance en nous? Insatisfaction par rapport au manque de qualité de notre vie sociale, à la façon dont notre temps est aménagé, à notre état de santé et à nos conditions de vie.

Nous pouvons être seuls physiquement et mentalement: physiquement seuls quand les facteurs d'environnement nous empêchent d'être en contact avec les autres; mentalement seuls quand nous ne pouvons communiquer avec les gens qui nous entourent.

Antoinette Mayrat définit la solitude de deux façons: la solitude objective et la solitude subjective[1].

La solitude objective est un fait observable, c'est l'isolement qui est la privation de compagnie humaine, la mise hors du circuit social. Cette solitude est parfois choisie par la personne qui décide de se retirer dans un monastère, par exemple, mais elle est subie par une personne forcée d'accepter de se retirer dans un endroit qu'elle n'a pas choisi.

Un ami me racontait qu'il avait dû quitter son pays pour des raisons politiques et que l'adaptation à son pays d'adoption était très difficile. Il avait été obligé de recourir à l'aide d'un psychothérapeute pour survivre à la séparation des siens.

La solitude subjective est un phénomène du vécu qui échappe à l'observation et au contrôle. Elle est de l'ordre du sensible. C'est un état d'âme ressenti sur un mode émotionnel. Ce sentiment peut être douloureux et angoissant pour celui qui l'éprouve. Roger, qui a vécu ces moments difficiles, nous livre son témoignage. Après avoir investi toutes ses économies dans un marché d'alimentation, il est aux prises avec des difficultés financières.

Je voyais pointer la faillite, c'était la honte. Je n'acceptais pas de mettre ma famille dans la misère. Jamais il ne me venait à l'idée que je me faisais peut-être rouler par mon gérant. Toujours est-il qu'à force de vivre cela tout seul, il me vint des idées noires. J'avais décidé de me suicider; c'est simple, un accident de voiture et ç'en est fini. J'ai bien essayé quelques fois mais, au dernier instant, je finissais toujours par freiner. Je réalisai que ce n'était pas si simple que je l'avais imaginé. Il me fallait trouver une autre solution, car je n'y arrivais tout simplement pas. Il aurait été si facile d'en parler... Après tout, je n'aurais pas été le premier ni sûrement le dernier à déclarer faillite! La fatigue, l'insomnie, l'inquiétude finirent

---

[1]   Antoinette MAYRAT, «À propos de la solitude», *Gérontologie*, n° 38 (avril 81), p. 19-31.

par avoir raison de moi. Sans que je m'en rende compte, j'étais en train de vivre un vrai burnout. *Un vrai de vrai!*

En analysant la solitude de Roger dans cette étape difficile qu'il a dû passer, nous nous rendons bien compte que, même entourés par la famille et supportés par des amis, nous n'échappons pas toujours à une impression de solitude subjective. Lorsque nous rencontrons l'échec, l'incompréhension, nous devenons très vulnérables. Nous cherchons alors une épaule pour nous aider à porter ce fardeau

Isolement et solitude

Plusieurs auteurs ont fait la différence entre un état d'isolement et le sentiment de solitude. L'état d'isolement correspond à la solitude objective, le sentiment de solitude à la solitude subjective. Un état d'isolement n'engendre pas nécessairement un sentiment de solitude. Celui-ci peut naître chez des individus parfaitement bien entourés.

Un ami retraité qui s'était très bien préparé à sa retraite me confiait son ennui d'être coupé de ses collègues de travail. Il était bien entouré de sa femme, de ses grands enfants et petits-enfants, mais il se sentait quand même isolé.

L'isolement social représente le problème majeur de l'avance en âge dans nos sociétés industrialisées. Cet isolement peut être très bien accepté par certaines personnes, parfois même recherché, tandis que d'autres peuvent en souffrir grandement et éprouver un sentiment d'inutilité.

Le besoin de relations sociales n'est pas le même chez les jeunes que chez les gens d'un âge plus avancé. Madame Jeanne a 70 ans. Elle est en pleine forme et elle avoue être très bien chez elle. Elle aime bien sortir de temps à autre avec ses enfants et amis mais à son rythme. Elle a une voisine qui vit beaucoup de solitude et aurait besoin de sortir davantage et d'être mieux entourée. Car, en plus de vivre l'isolement, elle a le sentiment

Plusieurs études ont été faites sur la solitude. Celle qui semble la plus récente a été menée en France par Michel Hannoun en 1989. L'auteur nous fait part de ses observations: on éprouve deux fois plus la solitude quand on vit seul; sept personnes sur dix qui disent ressentir la solitude ne vivent pas seules; et 26 % de l'ensemble des Français disent éprouver fréquemment un sentiment de solitude soit plus d'un Français sur quatre. L'auteur les appelle les solitaires. Les femmes dominent nettement: alors qu'elles constituent 52 % de la population totale, 59 % des solitaires sont des femmes et 41 % des hommes. Les plus de 65 ans (17 % de la population française) représentent 23 % des solitaires; 77 % des solitaires ont donc moins de 65 ans[1].

[1] Michel HANNOUN, *Nos solitudes,* Paris, Seuil, 1991, p. 18-19.

d'être abandonnée. Elle vit donc la solitude objective et la solitude subjective.

Selon Jacques Fessard, l'isolement social pose des problèmes réels tant affectifs que matériels. L'auteur cite les conclusions d'enquêtes américaines sur l'isolement social:

- isolement résidentiel et isolement social ne coïncident pas nécessairement;

- l'isolement social s'accroît à mesure que la personne vieillit;

- l'isolement social affecte davantage les personnes socio-économiquement faibles et agit alors de façon déprimante sur le moral. Ainsi, l'isolement social n'agit pas tout seul, mais combiné à travers la personnalité ou l'état psychophysiologique, aboutissant à un processus de désengagement de la personne vieillissante face au système social[1].

Lorsqu'il existe une solidarité familiale et que les grands-parents ont un rôle important à jouer auprès de leurs petits-enfants, ces contacts leur apportent de la joie et ils se sentent utiles, car moins isolés socialement. L'affection de leurs enfants et de leurs petits-enfants est d'un grand réconfort.

Ma mère qui a maintenant 80 ans vieillit positivement parce qu'elle se sent entourée de ses petites-filles qui l'aiment, la visitent, la consultent et l'invitent à sortir avec elles. Ses deux filles ont une excellente référence pour apprendre à vieillir dans la sérénité, avec cette joie intérieure qui la caractérise si bien. Maman continue de donner et elle est heureuse.

La communication et l'échange sont de précieux remèdes à la solitude à tout âge. Ils permettent d'exprimer des émotions, de faire des prises de conscience sur nous-mêmes et de réaliser que nos difficultés à vivre certaines situations sont partagées par d'autres personnes. Nous avons tôt fait de réaliser, en écoutant ceux des autres, que nos problèmes ne sont pas toujours les plus gros ni les plus importants.

Mais il ne faut pas que ces contacts soient une fuite et ne servent qu'à meubler la solitude: quelqu'un m'avouait qu'il n'arrêtait jamais, qu'il s'occupait continuellement pour ne pas se sentir seul. Le désir accentué de compagnie et le besoin de s'occuper sont fortement associés à la sensation de solitude, tant chez les hommes que chez les femmes. Faire face à la solitude, c'est pouvoir la regarder sans angoisse et la questionner. Suis-je prêt à l'accepter et à vivre avec elle, ou suis-je porté à la fuir?

---

[1]   Jacques FESSARD, «L'isolement en gérontologie», *Revue de gériatrie* (1978), p. 255, 1re partie.

Santé et solitude

Selon certaines recherches, il existe un lien étroit entre santé et solitude, tant chez les hommes que chez les femmes. Plus la santé est jugée mauvaise, plus les sentiments de solitude, d'oubli et d'inutilité sont forts. Mais il n'est pas évident que ce soit parce qu'on est en mauvaise santé qu'on se sente seul.

Une enquête épidémiologique internationale sur la santé et les soins de santé a été menée sous l'égide de l'Organisation mondiale de la santé dans 10 pays européens et au Koweït auprès de 795 sujets, âgés de 55 à 94 ans, répartis en 8 groupes comprenant 50 hommes et 50 femmes. Parmi les facteurs qui affectent la santé, nous retrouvons les séquelles de maladies ou d'accidents passés. L'existence de ces séquelles ne semble pas avoir le même effet chez les deux sexes. Ainsi le sentiment de solitude est plus fréquent parmi les femmes qui souffrent des suites de maladies ou d'accidents que parmi celles qui en sont exemptes (57 % et 40 %), alors que, chez les hommes, l'impression de solitude se retrouve dans des proportions à peu près identiques parmi les deux groupes d'individus (32 % et 27 %). À santé égale, les femmes semblent plus nombreuses que les hommes à se plaindre de la solitude. L'enquête démontre qu'un même facteur de risque n'a pas le même poids chez les sujets masculins et féminins. La mauvaise santé, pas plus que d'autres facteurs, tels l'éducation, les contacts humains ou l'état civil, ne peut être la seule cause de l'importance de la solitude éprouvée par les femmes[1].

[1] «Santé et solitude», communication présentée au Congrès international de «Ageing well» (Brighton, 15-18 septembre 1987).

Jeanne jouissait d'une excellente santé lorsque sa famille était au grand complet. Les enfants partirent un à un et, lorsque les deux derniers quittèrent le nid, elle se retrouva seule avec son conjoint. Jeanne avoue: «Jamais je n'aurais cru qu'il aurait été si difficile de voir partir les enfants.» Son inadaptation à la situation a provoqué chez elle des difficultés de santé: perte d'appétit, perte de sommeil. Elle a été dans l'obligation de consulter un médecin pour remédier à cette situation qui se détériorait de jour en jour. L'ennui de ses enfants avait pris le dessus et provoquait chez elle un état dépressif. L'aide reçue facilita sa réadaptation et elle reprit peu à peu le goût de vivre malgré l'absence qu'elle ressentait si fortement.

Serait-ce que les hommes s'expriment moins que les femmes sur les sentiments qu'ils vivent? Pouvoir exprimer ses sentiments contribue à une vie équilibrée et en santé. Voici le témoignage de Roger sur ce sujet:

Je suis l'aîné d'une famille de douze enfants, j'ai appris très jeune à participer au budget familial et à aider mes frères et sœurs. J'ai aussi appris à taire mes sentiments, car chez nous il n'y avait pas de place pour le dialogue.

Combien de personnes ont vécu les mêmes situations et n'ont pu verbaliser ce qu'elles ressentaient! Beaucoup de gens de tout âge ne peuvent communiquer, attendent que les amis ou les enfants les appellent; ils reçoivent de la tendresse à petite dose et ne peuvent compter que sur eux. Ils éprouvent fréquemment une détérioration de leur état de santé.

Dépendance et solitude

Sortir de sa solitude nécessite beaucoup de courage, il faut le vouloir et posséder une certaine agressivité positive. Quand nous sommes seuls à nous motiver et que l'élan extérieur est inexistant, l'exigence est plus grande. Sortir de soi pour aller vers les autres demande des efforts. Se choisir des activités qui nous conviennent est primordial, mais demande de la motivation. Créer de nouvelles amitiés suppose une certaine confiance en soi, l'espoir d'être bien accueilli par l'autre. Se planifier des sorties gratifiantes ou des voyages culturels nourrit la réflexion. Entreprendre de nouveaux projets, c'est consentir à beaucoup d'énergie, mais n'est-ce pas le prix à payer pour éviter la dépendance et de ne devoir compter que sur les autres pour se réaliser?

La solitude est en relation étroite avec la maturité affective. Beaucoup d'adultes dans nos sociétés, sous des apparences de force et de pouvoir, manquent d'autonomie intérieure. Ils ont de la difficulté à faire face aux échecs et aux conflits. Ils ont tendance à capituler très vite devant un obstacle.

Le sentiment d'identité doit être assez solide pour ne pas dépendre de l'opinion des autres et pour résister aux épreuves de la vie. Il doit sauvegarder en nous la certitude de notre valeur essentielle, indépendante de nos propres limites[1].

Prendre conscience de soi, n'est-ce pas découvrir qu'on est seul? Même si nous avons parfois envie de fusionner avec quelqu'un, ne sommes-nous pas toujours renvoyés à notre solitude? La grande aventure de notre vie ne nous met-elle pas continuellement en face de cette alternative d'avoir un dialogue réel avec nous-mêmes ou de vivre à l'extérieur de soi en cherchant continuellement une présence pour remplir notre vide?

La solitude n'effraie pas ceux qui sont de bons compagnons pour eux-mêmes et qui prennent le temps d'entretenir leur richesse intérieure. Elle exige que nous ne soyons pas dépendants. La dépendance n'enrichit pas, au contraire elle appauvrit la personne qui la vit.

Quand nous nous intéressons aux autres pour ce qu'ils peuvent nous apporter, nous vivons la dépendance. Quand nous ne comptons que sur l'autre pour être heureux, pour prendre des décisions et organiser notre vie, nous vivons la dépendance. Quand nous perdons la maîtrise de notre exis-

---

[1] Claude BALIER, «La solitude: dénuement ou plénitude», *Gérontologie*, n° 10 (mars 1973), p. 5-10.

tence pour plaire à notre meilleur ami ou à notre conjoint, nous vivons la dépendance.

Plusieurs personnes ont vécu des manques importants dans leur enfance et ont été obligées de mûrir trop vite, sans que certaines carences affectives puissent être comblées! Ces mêmes personnes sont devenues de grands solitaires réglant les problèmes des autres, mais étant dans l'impossibilité d'aller chercher de l'aide pour régler les leurs. Peu à peu la vie nous permet de faire différents apprentissages. Roger l'a découvert: «J'ai appris une chose: parler de mes problèmes, me pardonner et m'aimer. Je constate que je suis un humain, que j'ai le droit d'avoir des faiblesses, des défauts, des qualités. Surtout que j'ai le droit d'être écouté.»

> De ma solitude j'ai dit: «Seigneur mon Père, ne me laisse pas dans l'angoisse, en lutte avec un pouvoir écrasant. Je ferai connaître ton Nom et, joyeux, dirai tes louanges. Tu as écouté ma prière, tu m'as sauvé de la ruine, arraché à l'étouffement. Je t'en remercierai toujours et je porterai ton Nom dans mon cœur.»
>
> Sagesse 51, 8-12

Apprivoiser sa solitude

Il existe une forme de solitude qui contribue à élargir la conscience d'être, à consolider son sentiment d'identité et à enrichir sa vie. Quand nous ne sommes pas bien dans notre peau, que nous avons «le mal de l'âme», nous avons l'impression d'être en dehors de nous-mêmes. C'est une impression difficile à vivre. Celui qui a vécu cette situation sera rejoint par le témoignage suivant:

> *Pendant quarante ans, j'ai eu l'impression de vivre à côté de moi. Je cherchais par tous les moyens extérieurs, projets, activités de toutes sortes, à m'affirmer pour remplir ce vide qui m'étreignait, mais sans succès. Je faisais mille efforts pour démontrer un certain enthousiasme dans mon travail et mes*

rencontres, mais intérieurement j'étais insatisfaite et sans joie. Il a fallu un événement des plus pénible, un burnout qui a duré près d'un an, pour que cette partie de moi s'intègre et que je retrouve mon centre et un goût à la vie. Ce fut un accouchement pénible, mais quelle grâce en est résultée! Retrouver mon centre, c'était enfin entrer dans ma maison et, par le biais d'une thérapie qui a duré deux ans et demi, mettre les morceaux du casse-tête de ma vie à la bonne place.

Je n'avais plus l'impression d'être dispersée et j'aurais pu crier à toute la terre: «J'ai le monde dans mes mains, je m'appartiens.» Ce bien-être m'a amenée à donner une définition du bonheur: «Le bonheur, c'est de pouvoir s'asseoir en soi-même, se bercer doucement et se sentir bien.»

C'est un cadeau qui m'a été donné après un long apprentissage de quarante ans de «mal d'être». Ce fut un grand détachement de mourir à moi-même, de toucher le fond avec des idées très noires que la vie ne valait pas la peine d'être vécue pour renaître à une vie nouvelle et retrouver ma vraie place dans l'évolution terrestre.

Devenir adulte, c'est sans cesse se séparer, se détacher afin de pouvoir se centrer de plus en plus non sur soi, mais en soi. Cette évolution, à travers l'apprentissage du détachement, se poursuit toute la vie. La seule voie permettant d'atteindre la sagesse est celle où l'on apprend à lâcher prise, à se détacher, à se séparer toujours de plus en plus[1].

Nous avons besoin de solitude pour intégrer un à un les événements de notre vie et pour les intérioriser. Quand nous cherchons les stimuli à l'extérieur de nous-mêmes, nous vivons un phénomène de dispersion. Nous sommes tout aux choses et aux êtres qui nous entourent sans être présents à nous-mêmes et à la nature. Nous existons mais nous ne vivons pas pleinement, et au moindre choc l'angoisse nous paralyse.

---

[1]   Robert LABERGE, «La nécessité de la solitude», *Psychologie Préventive*, n° 17 (1990), p. 34.

Nous avons besoin de créer nos propres représentations, nos façons de percevoir la vie et les événements, d'avoir des valeurs qui nous aident à vibrer et à avancer. Nous ne pouvons vivre par consignation en tablant sur les valeurs de notre entourage ou de la société. Nous avons besoin de créer nos propres schèmes de référence. Nous ne sommes plus seuls à ce moment-là, la vie a un sens et elle nous amène à une capacité de concentration et de réflexion qui sera un phare dans la conduite de notre vie.

Lorsque nous ressentons le besoin de solitude, c'est que nous avons des projets qui nous nourrissent. Il nous faut pénétrer en nous-mêmes pour aller puiser la force dont nous avons besoin pour vivre intensément chaque minute qui se présente et entreprendre nos réalisations. Combien d'entre nous avions une peur presque maladive de la solitude et avons été surpris de si bien la dominer et de découvrir une capacité d'adaptation à notre nouvelle situation?

Toute solitude fait partie de notre expérience de vie. Nous avons la liberté de bien profiter de nos moments de solitude pour nous recréer intérieurement ou aller rejoindre la solitude de l'autre lorsque nous le jugeons bon. Nous sommes conscients que l'autre est un miroir pour nous et que nous avons besoin de son reflet. Nous nous découvrons dans les yeux de l'autre. Nous nous reconnaissons dans différentes situations et étapes de vie. Nous reconnaissons en nous-mêmes ce que nous serons plus tard. L'adolescent se reconnaît dans l'adulte qu'il sera. Nous nous reconnaissons aussi dans celui qui est arrivé à la fin de sa vie.

Plus nous vivons en contact avec nos sentiments personnels, plus nous sommes capables de lire les messages que chaque expérience de vie nous apporte. Nous pouvons alors créer notre propre bonheur et défricher notre chemin sans attendre que d'autres le fassent à notre place.

Combien d'écrivains et d'artistes se nourrissent de la solitude pour pouvoir communiquer au monde des œuvres merveilleuses! Un ami peintre se retirait dans la nature. Il y trouvait l'inspiration pour faire ses aquarelles. Quand il vivait une grande peine ou une grande joie, l'inspiration était encore plus forte pour créer.

Notre vie a ses hauts et ses bas et la société ne nous apporte pas toujours les réponses que nous cherchons. Nous devons les trouver en nous-mêmes. En nous ouvrant aux autres, nous arriverons à établir de nouvelles solidarités qui nous permettront de bien vivre la solitude. Nous sentant en communion avec des êtres significatifs pour nous, notre affectivité sera nourrie et, nous sentant importants pour d'autres, nous pourrons alors célébrer la vie. Personne ne peut créer ces liens à notre place. Attendre que les autres viennent à nous peut nous apporter beaucoup de déceptions si l'autre que nous aimerions contacter est dans la même attente.

Chaque être humain est un être de relation, il n'est pas une île, il a besoin de partager ce qu'il est et ce qu'il possède pour générer de nouvelles énergies qui dynamiseront sa vie. Mais il a besoin aussi de solitude pour garder le contact avec lui-même.

Dans son livre *Nos solitudes*, Michel Hannoun présente trois façons «d'être seul»:

1. **Porter éternellement le deuil de l'autre**
   Sans l'autre, nous ne nous sentons pas exister pleinement. Comme il est absent, nous nous efforçons de le recréer sans cesse, malgré l'évidence de sa disparition. C'est la solitude des veuves et des veufs âgés, qui semblent perdre leur raison de vivre; celle des personnes qui marient l'image qu'elles se font de quelqu'un et non pas l'autre tel qu'il est, ou qui ont un enfant pour garder une «trace» de l'autre.

2. **Organiser l'absence de l'autre**
   Nous tirons notre existence de l'autre; son regard nous fait exister, mais nous n'en sommes jamais le maître. Il nous faut échapper à ce regard pour retrouver ou restaurer notre

indépendance. La solitude devient une habitude, puis une accoutumance, puis on ne peut vivre sans elle. Certaines personnes investissent alors leurs forces dans le bénévolat ou sombrent dans l'activisme.

3. **Faire bon usage de la solitude**

Nous percevons l'autre avec ce que nous sommes. Consciemment ou non, nous projetons des intuitions ou des idées sur celui qui s'avance vers nous. À partir de nos propres espoirs et de nos désillusions passées, nous demandons inconsciemment à l'autre de jouer un personnage sur le théâtre de notre imaginaire. Si l'autre refuse ce rôle, ou s'il le joue mal, nous pouvons nous sentir seuls. Il faut apprendre à se délivrer de la hantise de l'autre afin d'être capable de se satisfaire de soi-même et d'accueillir l'autre tel qu'il est[1].

À mesure que nous avançons en maturité, la solitude devient positive. Nous sommes de plus en plus conscients que les déceptions sont des réalités de la vie. Que les barrières du chemin peuvent être enlevées et que l'autre n'est pas une menace pour nous. L'apprentissage de vivre avec nous-mêmes nous permet d'accepter l'autre dans sa réalité à lui sans vouloir la changer. Une seule personne est à changer, c'est nous.

Voici l'exemple de quelqu'un qui a appris à s'aventurer dans les eaux profondes de sa propre solitude intérieure, se suffisant à lui-même et trouvant en lui la cause de son sentiment de solitude. Germain vient de vivre un drame qu'il n'est pas prêt d'oublier. Il vient de perdre toute sa famille dans un accident de la route, sa femme et ses trois enfants. Du jour au lendemain, il se retrouve complètement seul. Voici ce qu'il nous confie:

Le choc m'a engourdi pour quelque temps, j'avais l'impression de vivre dans l'irréel. Lorsque j'ai eu à faire face à ce qui m'arrivait, j'ai eu l'impression d'un immense vide. J'ai pu me ressaisir grâce au support de mes parents et amis. Après des

---

[1] Michel Hannoun, *Nos solitudes*, Paris, Seuil, 1991, p. 227-278.

mois de deuil, j'ai refait surface et j'ai apprivoisé ma solitude. Je n'ai pas essayé de la fuir, j'ai plongé en elle et elle a été pour moi une grande enseignante.

***

Plus on a besoin des gens, plus on est seul. La solitude peut pousser à aller vers les gens, et on aura l'impression, en étant avec eux, d'être moins seul. Mais quand ils seront partis, car de toute façon ils partiront, la relation sera rompue, et c'est alors qu'on a la sensation d'être seul, encore plus souvent qu'avant. Ce n'est pas à cause des autres qu'on est seul, c'est à cause de soi[1].

Vivre, c'est donc apprendre à communiquer d'abord avec soi-même pour arriver petit à petit à aimer sa solitude et à y trouver sa richesse. Ce besoin n'élimine pas celui de l'autre.

Dans le jeu de la vie, nous sommes continuellement en recherche d'un équilibre qui n'est jamais définitivement acquis parce que nous sommes des êtres changeants en évolution constante. Mais le sentiment de responsabilité personnelle nous amène à être de plus en plus conscients du sentiment de trouver en nous-mêmes notre unité, de ne pas toujours projeter à l'extérieur notre mal de vivre. Cette projection hors de soi nous empêche d'être vraiment propriétaire de nous-mêmes et, en plus d'entraîner une dépendance, elle contribue à un appauvrissement du «moi».

Être propriétaire de soi-même, c'est connaître les limites qui nous permettent d'en tirer profit et les possibilités qui stimulent notre créativité. Cette connaissance nous aide à savourer la vie dans ses plus brefs moments. La solitude devient alors ressourcement qui nous aide à «devenir qui l'on est». Et nous pourrons chanter avec Moustaki:

> Pour avoir si souvent dormi
> Avec ma solitude,

---
[1]   *Ibid.*, p. 261.

Je m'en suis fait presqu'une amie,
Une douce habitude.
Elle ne me quitte pas d'un pas,
Fidèle comme une ombre.
Elle m'a suivi ça et là,
Aux quatre coins du monde.
Non, je ne suis jamais seul,
Avec ma solitude.

Plusieurs personnes se ressourceront dans la nature. Janine est sportive, elle va puiser son énergie dans la natation l'été et l'hiver dans le ski alpin. C'est un si grand besoin que, lorsqu'elle ne peut s'adonner à son sport favori en raison du travail ou pour d'autres motifs, elle a l'impression de manquer d'air et d'étouffer.

Cette soif de la nature, nous l'expérimentons chacun à notre rythme, selon notre ouverture et notre sensibilité. Françoise Dolto traduit bien ces sentiments qu'expérimentent les personnes sensibles aux joies trouvées dans la nature.

> Il est aussi des lieux de la nature où les hommes goûtent, cette fois tout éveillés, tous leurs sens réceptifs, la grâce d'une solitude heureuse. Lieux de beauté, de sérénité, de douceur, de maternance impalpable, lieux de paix et de joie ténue pour le cœur, de repos pour le corps qui dans son activité s'y sent léger; lieux où, bien que solitaires, les hommes peuvent trouver un temps l'oubli de leur destin séparé, dans un silence de paroles humaines peuplé du bruitement rassurant et vibrant d'une nature à la sienne accordée, où tout est langage de présence spirituelle, où sans code appris, sans grammaire connue, toute la nature semble donner à l'homme foi en lui-même et lui parler d'amour[1].

---

[1]   Françoise DOLTO, *Solitudes*, Paris, Éditions Vertiges, 1985, p. 455.

Chapitre 2

Solitude
et
sentiment d'identité

Le sentiment aigu de solitude

Le sentiment aigu de solitude exprime l'angoisse de la séparation à travers des réactions affectives par lesquelles nous pouvons traduire nos frustrations d'être seul, abandonné, triste, désespéré. Ces réactions peuvent être mineures, mais elles peuvent refléter des sentiments majeurs de dépression et aller jusqu'au suicide. La capacité de contenir l'angoisse varie d'un individu à l'autre. Lorsque nous parlons de séparation dans un contexte de relations entre personnes, nous parlons de souffrance ressentie lorsque la relation affective établie avec une personne importante de son entourage se trouve menacée d'interruption ou est interrompue[1]. La capacité d'être séparé et seul est en étroite relation avec la maturité affective et elle

---

[1]   Jean-Michel QUINODOZ, *La solitude apprivoisée*, Paris, PUF, 1991, p. 16-17.

s'édifie sur le premier lien d'amour avec la mère. Mélanie Klein considère que ce premier lien est d'une importance capitale dans la genèse du sentiment de solitude. Celui-ci résulte d'une aspiration universelle à connaître un état de bien-être qui perdure, d'une soif de l'absolu.

Plusieurs personnes rencontrées lors de conférences et dans certains cours m'ont confié leurs difficultés à intégrer leur solitude en raison de situations familiales qui les ont empêchées de développer un sentiment d'identité assez fort pour faire face à la vie. Le témoignage de Roger est éclairant sur ce sujet.

> *Ma mère n'avait que trente-cinq ans lorsque mon père est décédé des suites d'une longue maladie, la laissant sans aucune ressource avec six jeunes enfants (trois filles et trois garçons) dont les âges variaient de treize à trois ans. Quant à moi, j'étais l'avant-dernier et âgé de cinq ans.*
>
> *Nous n'étions pas riches et vivions à la campagne. Pour qu'une femme seule puisse se débrouiller et travailler, il fallait déménager à la ville. Ce n'était pas dans les mœurs du temps qu'une femme soit sur le marché du travail. Je vous parle de la période de la tristement célèbre crise économique des années 30, période où tout le peuple vivait dans un état de grande pauvreté et où l'aide sociale était inexistante.*
>
> *J'ai le souvenir d'une mère qui travaillait le jour à faire la cuisine dans des restaurants et la nuit à faire de la couture pour essayer de nous arracher à cette misère. De mon enfance, j'ai le souvenir d'une mère qui pleurait de découragement en cachette, de peur de nous transmettre ses craintes et ses inquiétudes.*

Se sentir seul, selon Mélanie Klein, dérive de la nostalgie d'avoir souffert d'une perte irréparable, celle d'avoir perdu le bonheur de la relation primitive avec sa mère[1]. Winncott a

---

[1] Mélanie KLEIN, «Se sentir seul», *Envie et gratitude et autres essais*, Paris, Gallimard, 1968, p. 119-137.

exposé cette notion de capacité d'être seul lorsqu'il affirme que dès son plus jeune âge l'enfant peut apprendre à la développer. C'est l'enracinement du sentiment qu'un bébé éprouve de pouvoir vivre avec lui-même, sans angoisse, seul, même en la présence d'autres personnes: c'est l'expérience d'être seul en tant que nourrisson et petit enfant en face de sa mère[1].

Cette capacité qui commence très tôt doit pouvoir se développer avec les années, les parents donnant assez de sécurité à l'enfant pour qu'il puisse développer une relation à son «moi». Si nous analysons le témoignage de Roger, nous constatons que ses parents n'ont pas pu lui donner la sécurité qui lui était nécessaire pour développer une relation positive à son moi. Cette situation a mis en cause son sentiment d'identité.

Le sentiment d'identité

Le sentiment d'identité repose sur l'activité d'une instance psychique qu'on appelle le «moi» et qui donne le sentiment du «je». Le sentiment du «je» est le sentiment d'être ce que je suis. Il a une fonction globale; il maîtrise les fonctions intellectuelles: raisonnement, mémoire, jugement, etc. Le «moi» relève du domaine du conscient. La plus grande fonction du «moi» est cette force qui nous habite, qui nous permet de nous affirmer dans ce que nous sommes par rapport aux autres, qui nous donne le sentiment d'être en continuité avec notre passé et de nous projeter dans l'avenir avec nos désirs de réalisations. Cette continuité nous donne le sentiment de sécurité, de calme, de confiance en nous.

Roger a dû lutter très fort pour s'affirmer dans la vie. Voici ce qu'il nous livre.

J'entrepris des études universitaires en ne partageant encore rien avec qui que ce soit: j'étais devenu un grand solitaire, fermé comme une huître. Il aurait été difficile à qui que ce

---

[1]   Donald Wood WINNCOTT, *L'enfant et le monde extérieur*, 4e édition, Paris, Payot, 1982.

soit de deviner mes pensées. Je ne partageais absolument rien. Je me suis marié à l'âge de vingt-neuf ans avec une femme merveilleuse qui avait les meilleures qualités du monde, des plus compréhensives. Je réalisais tout cela, mais il m'était toujours impossible de partager mes craintes, de parler d'inquiétudes financières ou autres. Je faisais partie des cadres supérieurs d'une très grosse entreprise. J'écoutais à longueur de journée les problèmes de tout le monde, mais jamais je n'aurais parlé des miens. Pouvait-il en être autrement? Si je réglais leurs problèmes, ils ne pouvaient certainement pas régler les miens. Quel beau raisonnement!

Être tout aux autres sans être à soi ne contribue pas à notre actualisation. C'est le narcissisme qui nous confirme dans la certitude de notre valeur personnelle. Le narcissisme peut être assimilé à un instinct de conservation à l'œuvre dans tous les domaines au cours de notre existence. L'irremplaçable amour de soi, s'il a été assez solidement édifié au cours de l'enfance et de la vie, résiste au non-amour d'autrui et permet de conserver l'estime de soi, de regarder affectueusement la vie et de ne pas dépasser nos limites.

L'identité se forge à travers des séparations successives. La période de vie entre 12 et 20 ans est considérée comme l'une des étapes les plus difficiles. La tâche de l'adolescent est de bien préparer la réussite de sa vie en ce qui concerne profession et orientation de vie. Il doit se trouver lui-même et ses propres valeurs. Il manque d'assurance et ne connaît pas bien ses possibilités. Il ne peut s'identifier aux générations qui le précèdent, il aspire à quelque chose de nouveau. Il manque souvent de lignes directrices. Il préférera discuter avec des professionnels qualifiés plutôt qu'avec ses proches pour éviter que les discussions soient empreintes d'une certaine émotion, à moins qu'il ne puisse compter sur des parents qui ont appris à réfléchir sur leurs problèmes.

Par exemple, un enfant qui reçoit beaucoup de pression de la part de ses parents pour être le meilleur dans les sports, le premier à l'école, la vedette en tout, pourra se sentir incapable de répondre à ces attentes et angoissé face à tant d'exigences. Il aura besoin de se confier à une personne en qui il a entièrement confiance qui l'aidera à voir clair dans sa situation et lui proposera des solutions.

Erikson et les crises psychosociales de la vie

Stade psychosocial	Âge approximatif	La résolution des problèmes mène à:
confiance ou méfiance fondamentales	première année	l'optimisme, la chaleur
autonomie ou honte, doute	de 2 à 3 ans	le contrôle de soi, la fierté de la réalisation
initiative ou culpabilité	de 3 à 5 ans	le sens de l'objectif et de la direction
application ou infériorité	de 6 ans à la puberté	le sentiment de compétence, d'être au-dessus des choses
identité ou dispersion de rôles	adolescence	un sens de l'individualité, d'identité propre
intimité ou isolement	début de l'âge adulte	une aptitude à établir des relations intimes
productivité ou stagnation	âge mûr	la productivité et la créativité, l'engagement avec les générations futures
intégrité ou désespoir	vieillesse	un sens d'une vie significative, une acceptation de la mort

KRECH, CRUTCHFIELD, LIVSON, *Psychologie*, Montréal, Renouveau pédagogique, 1979, p. 397-398.

L'adolescent a besoin qu'on lui transmette avec sagesse des règles de vie applicables aujourd'hui et de voir le chemin de façon tout à fait naturelle. La plupart des adolescents ont des problèmes d'autodétermination. Ils ont besoin d'intégrer leurs perceptions et leurs aspirations de façon satisfaisante pour qu'une personnalité adulte efficace puisse évoluer. Un garçon, par exemple, peut s'identifier à sa mère joyeuse, compréhensive et affectueuse, à son père plutôt distant, à sa tante préférée qui est pleine d'humour. Si l'adolescent est incapable de se créer une image personnelle cohérente et harmonieuse, à partir de ces éléments opposés, il souffrira de ce qu'Erikson appelle une dispersion d'identité.

Une autre étape difficile, c'est la ménopause chez la femme ou andropause chez l'homme. Leurs principales difficultés viennent de ce que nous devons complètement nous réorienter dans la vie. Roger a dû vivre une réorientation au niveau professionnel.

Je décidai donc d'investir toutes nos économies dans l'achat d'un supermarché d'alimentation. J'y mis toutes mes énergies, j'étais au magasin six jours par semaine, environ soixante-dix heures par semaine; je ne vivais plus, j'existais. Mon épouse me fit comprendre que je ne pourrais pas résister à ce train d'enfer, qu'il fallait que je me trouve quelqu'un de responsable pour partager les heures de travail et les responsabilités de la gestion. Je décidai donc de demander à mon gérant s'il accepterait de prendre plus de responsabilité, ce qu'il accepta immédiatement. Je lui confiai les clés du magasin et des entrepôts. Nous partagions les heures d'ouverture et de fermeture du commerce; c'était beaucoup plus raisonnable.

La nouvelle orientation de Roger n'a pas donné les résultats attendus:

Après quelques mois de cette façon de procéder, il se passa quelque chose de mystérieux dans la rentabilité du commerce. D'une marge de bénéfice qui était des plus acceptables, le commerce se mit à accuser un déficit. Le chiffre d'affaires était constant, il était même à la hausse, et nos frais d'exploitation n'augmentaient pas. J'avais beau vérifier les opérations comptables, tout me semblait clair. Je demandai aux experts de la chaîne à laquelle j'étais affilié de faire des vérifications. Pour eux, il ne s'agissait que d'une augmentation des inventaires. Je savais très bien que ce n'était pas là que se trouvait le vrai problème, mais je n'arrivais pas à le cerner. J'étais très inquiet, mais je me gardais bien d'en parler à qui que ce soit. Je ne voulais inquiéter personne, encore moins mon épouse. En cachette, je me levais la nuit pour faire de la comptabilité; je n'y arrivais pas. Impossible de trouver la faille. Ça allait de plus en plus mal. Le gérant de la banque commençait à poser des questions auxquelles je ne pouvais pas répondre. J'étais de plus en plus inquiet et je me gardais de partager avec qui que ce soit mes inquiétudes. Je ne l'acceptais pas. C'était pour moi l'échec de ma vie.

L'individu qui est dans l'incapacité de communiquer ce qu'il vit et doit porter seul le poids de ses difficultés est très vulnérable. Celui dont le «moi» est fort et qui peut se confier a plus de chance de s'en sortir. Il a appris à se percevoir de façon réaliste, c'est-à-dire à se voir lui-même tel qu'il est. La sincérité intérieure permet à la personne de se fixer des buts et de les poursuivre. La connaissance de soi exige qu'on entre dans ce processus d'acceptation de soi et de sa réalité.

Il est incontestable que le facteur temps joue un rôle primordial dans la maturation et le développement. Mais certains stimuli sont indispensables au cours de la vie, à des moments bien précis, pour que puisse se réaliser tel progrès ou tel développement.

La capacité de vivre la solitude et de faire face à l'angoisse de séparation varie d'un individu à l'autre. Les réactions inconscientes d'une personne à la séparation et à la perte de l'aimé ont été décrites par Freud. Il s'est interrogé tout au long de sa vie sur l'origine de ce type de réaction psychologique, ainsi que sur le pourquoi de sa diversité. Il s'est demandé: qu'est-ce qui déclenche la douleur? qu'est-ce qui déclenche l'angoisse? Freud a découvert que la réaction de dépression suite à la perte de la personne aimée vient de ce que le sujet s'est en partie identifié à celle-ci, et confondu avec elle pour se défendre contre le sentiment de l'avoir perdue[1].

Cette solitude angoissée est un état de détresse psychique et biologique. Lorsqu'un individu ressent que «se séparer» d'une personne signifie une menace pour l'intégrité de son propre «moi», c'est que persiste entre le «moi» et l'objet un lien d'attachement particulier. L'angoisse apparaît parce que la séparation est vécue non seulement comme la perte de l'objet, mais aussi comme celle d'une partie du «moi»[2]. L'être humain est en évolution constante et pour fortifier son «moi» il a besoin de se «différencier» dans ses relations interpersonnelles, de renoncer à faire un avec l'autre. Ce renoncement est l'un des passages nécessaires pour intégrer les différents changements et les pertes tout au cours de la vie et ne pas tomber dans la pathologie au moindre choc rencontré.

Les changements apportés par la vie exigent beaucoup de courage. Il nous faut nous armer de patience tout au long de notre existence. Nous avons besoin du support de quelqu'un de disponible pour nous écouter lorsque nous vivons un deuil, lorsque les relations se brisent, que ce soit à cause d'un décès ou d'une séparation. Vivre un deuil dans la solitude en gardant pour soi sa peine, c'est se donner peu de chance de le vivre pleinement. Exprimer sa peine, c'est s'aider à prendre de la distance face à celui qui est parti.

Nous connaissons vraiment quelqu'un dans la mesure où nous avons réussi à nous différencier de lui. Nous pouvons nous en séparer sans angoisse excessive si nous l'avons vraiment rencontré. Nous n'échappons pas à l'angoisse de la séparation après avoir vécu des années avec quelqu'un; l'angoisse est humaine, mais nous pouvons échapper au prolongement de cette angoisse. Nous savons que nous avons investi dans telle

---

[1]   Jean-Michel QUINODOZ, *La solitude apprivoisée*, p. 19-20.
[2]   *Ibid.*, p. 40.

relation, que la personne nous manque et ce que nous éprouvons par son absence: sentiment de solitude, tristesse, colère, douleur, mais peut-être aussi un certain soulagement, libéré d'un poids lourd à porter. La séparation peut nous affecter émotivement sans nous jeter dans la dépression, sans nous faire perdre notre «moi».

Cette expérience de perte peut devenir un tremplin pour une nouvelle réorientation de vie des plus positives pour notre évolution tant physique, psychologique que spirituelle. Nous sommes tous de grands enfants. Dans ces moments de souffrance, nous aurions besoin d'être bercés pour mettre un baume sur cette douleur qui nous étreint. Heureux celui qui rencontre sur sa route une oreille attentive qui saura le recevoir. Quel cadeau inestimable!

Voici le témoignage d'une personne qui, par son ministère auprès des prisonniers et des déshérités de la vie, essaye de mettre un baume sur ses grandes douleurs par son écoute attentive.

Écoute et solitude: «Je ne me sens pas écouté»

Pendant des années, lors de ma formation académique et théologique, on se devait d'avoir un réponse à toutes les situations possibles et impossibles. Je croyais avoir en poche un bon livre de recettes.

Voilà qu'après six ans de vie en ministère paroissial, je me retrouvais complètement vidé: plus de recettes, plus de réponses ni de solutions toutes faites. C'est alors que, non seulement je ne voulais plus de recettes et de réponses toutes faites, mais ce que je voulais trouver, c'était une bonne question qui permettrait à mon interlocuteur de puiser, de fouiller en lui-même afin d'y trouver sa propre réponse.

Pour arriver à réaliser cet objectif, il m'a fallu développer presque jusqu'à outrance ma capacité d'écoute. Pas n'importe quel genre d'écoute, une écoute active où la personne sent qu'elle est avec moi. Pour compléter la relation d'être avec mon interlocuteur, celui-ci doit pouvoir ressentir toute l'empathie dont il a besoin.

C'est à l'intérieur de mon travail et par une écoute active que je découvre tous les jours le Christ de l'Évangile qui accueille, écoute, ne juge pas et ne condamne pas.

Un jour, mon évêque me demande, alors qu'il était à souper chez moi: «Quelle place la prière prend-elle dans ta vie?» Je lui réponds: «Je ne lis pas le bréviaire. — Mais alors, comment pries-tu, comment te ressources-tu?» Saint Paul, dans une de ses épîtres, dit: «Peu importe ce que vous fassiez, que vous buviez, que vous mangiez, que vous dormiez, faites tout pour la gloire de Dieu.» Pour moi, prier c'est manger, dormir, conduire ma voiture dans le trafic, faire des repas, accueillir et écouter la personne humaine — arroser mes plantes, saisir un visage en détresse, etc. En un mot, tout peut prendre la forme d'une prière.

Récemment, Pierre me demandait: «Qui est prêt à t'écouter dans tes misères, tes souffrances, tes peines?» À la question de Pierre, je suis devenu triste. Sa question a touché quelque chose de profond en moi. Ce quelque chose n'est rien d'autre que ma solitude. Il m'arrive de ressentir le besoin de partager les moments difficiles où je me sens malheureux, seul, incompris. Bien que je sois d'un tempérament extraverti, je porte en moi une solitude certaine qui ne demande qu'à être partagée avec d'autres personnes.

Depuis que je me suis engagé profondément et passionnément dans l'écoute active, j'ai rarement rencontré une personne prête à faire un bout de chemin avec moi. Il m'arrive souvent d'offrir à un frère ou une sœur: «Puis-je marcher avec toi?» C'est avec beaucoup de joie et de spontanéité que j'aime marcher avec eux dans des moments difficiles de leur vie. L'occasion m'a été donnée de ressentir le besoin d'avoir quelqu'un qui marche avec moi et, après en avoir formulé la demande, *d'obtenir comme réponse: «C'est ton travail, c'est ce que tu as choisi, arrange-toi avec tes problèmes.»*

Il est vrai qu'aujourd'hui je m'arrange avec mes problèmes, grâce à ma foi au Christ, aux grâces qui me sont données par la Trinité. J'ai la certitude et la conviction de ne pas être seul et de ne pas marcher seul, mais bien d'être avec Celui qui me fortifie, Jésus Christ. Je puis affirmer que je suis très dépendant de Dieu — Père, Fils et Esprit Saint — pour ce que je suis et ce que je fais. Actuellement, je me sens passablement libre de toute attente humaine.

À la suite de saint Paul, je puis affirmer: «Ma vie c'est le Christ.» J'ai le goût d'être avec la personne humaine, qu'elle soit jeune, âgée, seule, malade, rejetée, abandonnée, un enfant de Dieu qui, à la manière de Jésus, accueille, écoute, ne juge pas et ne condamne pas.

Paul

Nous avons besoin à chaque instant de notre vie de redire avec le psalmiste: «Seigneur, sois le rocher qui m'abrite, la maison bien défendue qui me sauve. Pour l'honneur de ton nom, guide-moi, conduis-moi» (Psaume 30, 3-4).

Chapitre 3

Bienfaits et méfaits de la solitude

Une solitude qui détruit

Combien de personnes font un travail qui les motive, jouissent d'une bonne santé, ont toute la sécurité matérielle voulue et pourtant ne sont pas heureuses. Elles vivent un isolement qui est synonyme de non-communication, de non-engagement, de non-accomplissement.

Un ami me racontait ce qui suit: «J'en suis à ma quatrième séparation, je ne me comprends plus, je suis pourtant un homme normal.» Georges est un homme qui vit la non-communication; par le fait même, il ne réussit pas à s'engager dans une relation. Il n'a pas encore eu la possibilité de faire cet apprentissage. Il ajoutait: «J'irai me faire aider, je suis décidé à suivre une psychothérapie.» Georges croit que cet outil le sortira de son isolement. La solitude qui détruit est aussi celle qui est subie. C'est une solitude très lourde à porter parce qu'elle est génératrice de stress et d'angoisse.

Il existe quelquefois dans la vie de couple des situations de non-engagement. Par exemple, l'homme et la femme qui ont une orientation sexuelle différente et qui décident envers et contre tout d'unir leur destinée. Souvent la femme est dans l'illusion face à son mari et le mari espère peut-être par cette union nier cette orientation. Maryse qui a vécu cette expérience avec Philippe nous livre son vécu:

Solitude à deux

Pendant vingt-deux ans, j'ai été mariée à Philippe, un homosexuel. Cet homme excessivement bon, patient et doux, avait une personnalité magnétique, son sourire pouvait désarmer les plus durs. Au-delà de ce sourire émergeait pourtant une si grande tristesse qu'elle se confondait souvent avec l'immensité d'une mer grise.

À ses côtés, j'ai connu ce qu'était de vivre une solitude à deux. Les premières années de mariage furent toutefois une recherche de l'un et de l'autre pour remplir cet espace qu'on ne pouvait définir. L'adoption de trois enfants a comblé le cœur de la mère, mais n'a pu effacer ce vide qui chaque jour devenait de plus en plus grand dans le cœur de l'épouse. Je voyais cet homme que j'aimais tant s'éloigner de plus en plus. Quelle soif de partager, de communiquer avec lui, pour aller le rejoindre! Plus je le sentais loin et absent, plus je multipliais les petits plats, les surprises, les cadeaux. Et plus il s'éloignait... J'étais perdue dans ces frustrations et n'y comprenais plus rien. J'avais mal à mon cœur, j'avais mal à mon âme, je me sentais dépréciée, rejetée, coupable. De jour en jour, je m'émiettais de l'intérieur.

Un mur de ciment s'épaississait entre nous et me laissait dans une solitude extrême. Je ne trouvais aucune réponse aux questions que je me posais: «Qu'ai-je fait pour l'éloigner? Pourquoi ne puis-je le rendre heureux?» À toutes ces questions, je ne pouvais donner une réponse. Mais, ne devinant pas son secret, je retournais toujours le blâme contre moi. À mes questions, ses réponses étaient évasives, presque toujours les mêmes: «Je vais bien. Tu t'en fais trop.»

J'étais repliée dans ma solitude qui était devenue de l'isolement, car j'habitais à plus de 1 800 km de ma famille. J'étais seule, je ne voyais aucune amie, je compensais donc avec mes enfants en les surprotégeant. Bien souvent, je me suis sentie seule, semblable à une naufragée sur une mer déchaînée. Combien de fois n'ai-je pas souhaité périr! Que de nuits! Je criais intérieurement, cherchant une main qui pourrait m'aider, une oreille pour m'écouter.

Après quinze ans de mariage, je devrais dire de solitude à deux, mes questions n'avaient aucune réponse. Philippe, pour sa part, vivait son drame solitaire. Il avait lutté seul durant toutes ces années pour repousser son orientation sexuelle. Dans une société où les homosexuels ne sont pas acceptés, où les êtres en marge sont sévèrement jugés et même rejetés, un chef d'entreprise ne prend pas le risque d'être pointé du doigt. À cette époque où notre mariage ne tenait qu'à un fil, ma mère mourut. Il y avait plus de sept ans que je ne l'avais vue. À cause de la distance, je ne pus la voir avant qu'elle parte. J'ai vécu, dans ces instants, une désolation intérieure incompréhensible pour les gens de mon entourage. Aux yeux de ma famille, j'étais la plus choyée, la plus heureuse, la plus comblée: une très belle maison, des voitures, des voyages, tout ce que les autres pouvaient désirer! D'ailleurs, je me suis toujours identifiée à l'image qu'on se faisait de moi: heureuse, pleine d'entrain, sans problème. Personne ne pouvait soupçonner que dans ce vase éclatant gisaient des morceaux fracassés.

Le vide ressenti à la mort de maman élargit encore plus le fossé qui me séparait de Philippe. Les tensions refoulées ressemblaient à cette épaisse brume qu'on retrouve sur la mer et qui fait que les capitaines ne peuvent plus apercevoir le phare. Nous étions à la dérive, lui avec son duel intérieur et moi séparée de moi-même, ne trouvant qu'en Dieu et dans la prière le réconfort et le courage de faire un peu plus encore, espérant toujours le miracle.

Quelques mois après la mort de maman, Philippe m'apprit un soir son homosexualité. Impassible, sans bouger, le cœur broyé en miettes, j'ai pu lui souffler, après quelques minutes, que je garderais son secret, devant les enfants et devant son entourage. J'eus même l'abnégation de lui offrir de l'accompagner jusqu'au bout, de lui dire que nous vieillirions ensemble. C'était mal connaître ce que c'est qu'un homosexuel, ce n'était sûrement pas ces phrases qu'il voulait entendre. Mais ma dépendance était devenue tellement grande envers cet homme que j'aimais tant que je n'envisageais pas de le laisser partir.

Durant cette nuit, je me débattis comme une noyée face à cette cruelle réalité. Une réalité que j'avais si souvent repoussée durant ces dernières années, la douloureuse vérité que je ne voulais ni voir, ni savoir, et que je balayais dans les moments de crise où si souvent, intérieurement, j'ai vécu le rejet et l'abandon. J'étais seule sur mon île déserte en pleine tempête.

Le lendemain, je dus être hospitalisée; seulement la mort pouvait me délivrer de ce cauchemar. L'homme que j'aimais était toujours là... de corps. Mais son cœur, auquel par tant de tendresse et d'affection je n'avais pu accéder, n'était plus là. Maintenant, c'était vrai, le mur était infranchissable. J'ai sombré dans une obscurité totale, un désespoir. Pendant des jours et des nuits, je n'ai pu dormir, submergée par cette boule d'angoisse qui m'étouffait. Je revoyais les enfants, Philippe broyé par la souffrance et impuissant à me soulager. Je n'avais qu'un désir: me laisser glisser tout au fond de cette mer sans fond.

Je refis surface quelques jours après, tout comme si je revenais d'un cauchemar. Je confondais le rêve avec la réalité. Ce n'était plus moi. Quelque chose avait été brisé: j'étais devenue indifférente, triste, le cœur chargé d'une lourde pierre. Tout en moi avait été lavé, balayé, vanné. Il me restait les enfants sur qui j'avais mis tant d'amour. Les larmes qui avaient coulé par torrents n'existaient plus, le rêve d'être aimée était anéanti. Je songeais sans cesse: mon cœur ne méritait pas cette grande solitude. Je n'avais même plus l'énergie de vouloir de l'aide, tout ce que je souhaitais, c'était dormir, dormir pour ne plus me réveiller sur ces espoirs fauchés.

J'ai repris la besogne, me sentant comme un navire sans capitaine. Je refaisais tout sans joie, sans espoir, mécaniquement. Pour les enfants, pour eux, je devais continuer, je devais accepter. Dans un ultime effort, j'ai pensé que si je l'aimais plus encore, si j'en faisais encore PLUS pour lui, il changerait, il m'aimerait un peu. Alors le grand défi commença... Mais là, à chaque jour, je posais une brique de plus sur mon mur de solitude. Ma belle maison était devenue une prison dorée et j'y construisais une prison encore plus étouffante: celle de la culpabilité, du remords et de la mésestime de moi-même. Seule au milieu de la bourrasque, les cauchemars de la nuit venaient amplifier ceux du jour. Mon cœur se brisait en regardant cet homme qui souffrait et que j'aimais plus que moi-même, ces enfants qui, à cause du trop-plein d'un amour repoussé, avaient reçu une surprotection. La petite étincelle intérieure survivait, je priais sans relâche m'accrochant à Celui qui avait connu lui aussi la solitude. Peu à peu, j'ai accepté que je ne pourrais jamais changer Philippe. Il me faudrait un jour le laisser partir. À cette pensée, tout en moi éclatait et faisait mal. Je criais intérieurement que quelqu'un m'aide et vienne à mon secours.

Solitude à deux, car lui aussi souffrait! Ni l'un ni l'autre ne parlait de ses sentiments. On marchait dans la vie ou, mieux, on se traînait dans la vie, le cœur en écharpe, espérant je ne sais quel miracle. Pour me donner du courage, j'évoquais souvent intérieurement toutes MES bonnes raisons de ME faire souffrir: les enfants, pour qu'ils ne soient pas trop brisés par une séparation, la réputation de Philippe auprès de la famille, des amis, de la communauté: ça, j'y tenais! Les principes religieux appris jadis, qu'il faut souffrir pour gagner son ciel, que Dieu envoie ce qui nous est nécessaire, et tout le reste, que de raisons pour «se complaire» dans des situations étouffantes!

Quelques années avant la grande décision, ma famille fut éprouvée par trois décès en sept mois de trois frères atteints du cancer. Avec le départ de celui qui me suivait de seize mois — celui qui était mon ami, presque mon jumeau tant nous avions tout partagé, jeux, peines et confidences — en dedans tout s'écroula. Une peine qui était alimentée par tant de solitude ne pouvait plus tarir, tout ce que je pouvais dire à ce frère était: «Maintenant que tu es là-haut, tu es le seul à savoir mon secret, fais-moi une place, je n'en peux plus.»

Et là, le compte à rebours commença... Intérieurement, je ne vivais plus pour rester près de Philippe, mais pour partir. Les lectures, conférences et tout ce que je pouvais «accrocher» pour me rendre plus forte dans cette grande coupure étaient devenus mon lot. Je restais quand même seule et solitaire avec ce secret. La bonne amie que j'avais n'était même pas au courant des grandes marées déchaînées que je vivais intérieurement. Le masque de Maryse était de mise partout et devant tous les gens.

Quand le cœur a pris une décision, les événements se précipitent souvent pour arriver au but. Après vingt-deux ans de mariage, tout ce en quoi j'avais cru, amour, communication de sentiments, vieillesse commune, famille unie, beaux enfants, tout s'écroula. Ce fut la rupture. Je sentais que, plus nous avancions, plus nous nous détruisions l'un et l'autre. Pour moi SON bonheur, SON espace, SON bien-être passaient en premier. Je l'aimais assez pour le laisser partir. Mais dans le fond, n'était-ce pas cette soif inassouvie de me retrouver moi-même et *surtout d'apprendre que je méritais d'être aimée, de prendre en main ma vie au lieu de la laisser s'émietter?*

Quand on vit une solitude à deux dans une prison dorée, la rééducation se fait lentement, très lentement et douloureusement. Les crises d'angoisse et d'anxiété font place peu à peu à une certaine paix intérieure. Les luttes sont grandes pour ne pas tout laisser tomber. Aujourd'hui, j'apprivoise jour après jour cette vraie solitude qui me permet d'aller à la rencontre de mon vrai MOI INTÉRIEUR. J'apprends à commencer à m'aimer plutôt qu'à me critiquer et à tout prendre sur mes épaules. Je travaille à consolider mon identité, à élargir ma conscience de vivre. Cette solitude est voulue parce qu'au dedans de moi-même j'ai commencé à voir le bout du tunnel grâce à l'aide d'un thérapeute professionnel, de précieux amis et de parents qui ont été là pour m'accompagner dans ce «naufrage». Ma démarche de vivre une solitude apprivoisée part d'un grand désir qui était latent depuis des années: celui de faire en moi la plus grande libération... CELLE DU CŒUR.

Maryse

Maryse travaille présentement avec l'aide d'un psychothérapeute pour intégrer cette tranche de vie. Après avoir vécu la destruction, elle tente de reconstruire son image d'elle-même et de sortir grandie de cette expérience douloureuse.

Voici un autre exemple d'une personne obligée à vivre un grand détachement. Une dame de 85 ans qui vivait heureuse avec sa fille, son gendre et ses petits-enfants a été amenée malgré elle à quitter cet endroit. Elle se sentait utile en exécutant quelques petits travaux et de temps à autre en gardant ses petits-enfants. Elle a été obligée de quitter ce foyer pour faire place à l'arrivée d'un quatrième enfant. On lui propose le centre d'accueil. Voici ce qu'elle nous confie: «Jamais je n'aurais cru terminer ma vie dans un centre comme celui-ci. Ce n'est pas que je ne suis pas bien traitée, mais je manque énormément ma fille et mes petits-enfants. Je n'ai rien à faire ici; je n'aime pas trop bavarder avec les autres, alors je m'isole dans ma chambre. Les journées sont très longues, et j'en suis arrivée à vouloir mourir tellement je me sens inutile.»

Combien de personnes vivent une solitude aussi lourde parce qu'elles ne l'ont pas choisie. Combien d'exemples ne pourrions-nous pas donner de personnes qui dans différentes situations ont à vivre ce genre d'isolement. Plusieurs pourraient redire la phrase de Rousseau: «Me voici donc seul sur la terre, n'ayant plus de frère, de prochain, d'ami, de société que moi-même.» Que d'itinérants en auraient long à nous raconter sur la solitude qu'ils vivent!

Louis a dix-huit ans et vient de quitter la maison familiale parce qu'il ne réussissait pas à s'entendre avec son père. Il laisse ce milieu sécuritaire sans trop savoir où aller. Il frappe à la porte d'amis qui le reçoivent pour quelques jours. Après deux semaines, il se retrouve sans le sou, sans abri, à la merci de ce qui se présente à lui.

Les premiers temps, j'ai volé pour manger. Par la suite, j'ai rencontré un homme dans la quarantaine qui m'a offert d'être revendeur de drogue. Comme j'avais besoin d'argent, ça m'a paru la meilleure solution. Mais après quelques mois, j'étais devenu cocaïnomane. Je vivais une dépendance et cette drogue est devenue mon enfer. Je n'avais pas fait le meilleur choix pour gagner ma vie! Après une cure de désintoxication, je suis retourné vivre avec mes parents qui m'ont aidé à me réhabiliter et à repartir du bon pied. Aujourd'hui, j'étudie pour devenir électricien, un métier très en demande. Cette expérience fut un apprentissage difficile, qui restera gravé dans ma mémoire longtemps!

Tout au cours de notre vie, nous sommes souvent confrontés à ces deux solitudes; l'une qui nous construit et l'autre qui peut nous mener sur un chemin destructeur. Nous avons sans cesse à nous remettre en question et à aller chercher l'aide dont nous avons besoin pour survivre à nos solitudes.

Le non-accomplissement est aussi un facteur qui n'est pas à négliger dans ce genre de solitude. Il empêche, s'il est subi, de vivre une solitude gratifiante et génératrice de vie. Il nous faudra à certains moments user de beaucoup d'imagination pour trouver notre réalisation dans les petites choses du quotidien. Les forces de destruction auront de moins en moins d'emprise sur nous et notre lumière intérieure éclairera et réchauffera ceux qui entreront en contact avec nous. Nous pourrons faire nôtres ces vers de Valéry:

> Ces jours qui te semblent vides
> Et perdus pour l'univers,
> Ont des racines avides
> Qui traversent les déserts.

Une solitude qui construit

La solitude qui construit est une solitude acceptée. C'est une solitude qui nous amène à être créatifs. Tous ceux qui travaillent dans les arts, les lettres, les sciences ressentent ce besoin de solitude pour mener à bien leurs réalisations. Pour donner le meilleur de nous-mêmes, nous avons besoin de nous reconstituer, de réserver à la solitude une place importante. La vie qui nous invite à une transformation continuelle ne nous appelle-t-elle pas à la solitude?

Les voies de solitude sont nombreuses, elles répondent à différentes vocations. La majorité des gens vivent leur solitude au cœur du monde contemporain. Ils savent se ménager des temps forts pour se ressourcer intérieurement, soit dans la lecture, le sport, la musique, le théâtre.

Une amie me racontait qu'elle se ressource dans la nature. La nature est pour elle un grand livre dans lequel elle lit Dieu. Elle se sent imprégnée de cette grande Beauté divine et revient chez elle avec une nouvelle énergie.

Pour un autre ami, c'est le théâtre. Il est lui-même acteur, il en «mange» tellement que cette activité le remplit. En jouant certains personnages, il se révèle à lui-même. L'autre jour il me racontait son été: il a joué chaque soir à guichet fermé. Si vous aviez vu la lumière dans ses yeux lorsqu'il me racontait son expérience. Ce moyen de communication le nourrit.

Et pour celui qui aime la lecture ou la musique, que de bienfaits il en retirera! Une amie, qui lit beaucoup et adore la musique, me confiait ceci:

J'ai toujours un bon livre à portée de la main. Cette lecture me nourrit et remplit mes moments de solitude. J'accompagne cette lecture d'une belle musique et je me sens très bien. C'est un choix que je fais de vivre seule ces moments de plénitude. Je repars stimulée. Quand les activités sont trop nombreuses et que je n'ai pas de temps suffisant à consacrer à la lecture et à la musique, il me manque quelque chose.

Je crois qu'il est nécessaire pour nous retrouver de faire des activités qui répondront le mieux à nos besoins. Ce pourrait être aussi de ne rien faire, d'être simplement là, à l'écoute de ce qui monte en nous. Dans son ouvrage *Solitude face à la mer*, Anne Lindbergh écrit les lignes suivantes:

> Je veux être en paix avec moi-même. Je désire voir le monde d'un seul regard, avec des intentions pures et que ma vie ait un foyer central d'où rayonnera la force nécessaire pour mener à bien toutes les activités et les obligations qui m'incombent, je veux vivre la plus grande part possible de ma vie en état de grâce. Par état de grâce, j'entends une harmonie intérieure, essentiellement spirituelle, mais capable de se transformer en une harmonie extérieure[1].

---

[1] Anne LINDBERGH, *Solitude face à la mer*, Paris, Presses de la Cité, 1973.

Cette harmonie peut-elle se créer sans cette plongée dans la solitude qui est un arrêt conscient et nous ramène à la simplification de la vie? Dans certains événements graves de la vie, ne sommes-nous pas ramenés à cette simplicité du cœur? Gerry Boulet l'a si bien chanté quelque temps avant de mourir: «Aujourd'hui, je vois la vie avec les yeux du cœur. Je suis plus sensible à l'invisible, à tout ce qu'il y a à l'intérieur.»

La solitude que vit le malade dans une chambre d'hôpital n'est pas sans nous questionner, nous qui sommes en bonne santé et avons si souvent tendance à nous plaindre de nos solitudes. Cette solitude si grande soit-elle peut valoir à celui qui la vit son pesant d'or s'il peut partager ce qu'il vit avec quelqu'un qui saura l'écouter et compatir à sa situation.

Je peux avouer qu'en tant qu'infirmière soignante j'ai beaucoup appris de mes malades. Ils m'ont enseigné la patience, le courage, le détachement. Ils m'ont aidé à me situer face aux vraies valeurs de la vie.

Il y a quelques années, j'avais à soigner deux jeunes de 25 ans qui avaient une maladie des os qui les obligeait à garder le lit et d'avoir les jambes en traction, ce qui était assez inconfortable. Après une année d'hospitalisation, ces jeunes avaient de la difficulté à vivre leur solitude et à garder l'espoir d'une guérison. Ils devenaient très agressifs. Étant jeune infirmière de 20 ans, je me demandais comment je pourrais vraiment les aider. Après une semaine avec eux, j'avais trouvé une solution qui s'est avérée des plus efficaces. Pour varier un peu leur menu, je leur faisais des repas que je préparais moi-même. J'invitais ma famille à venir les visiter et à leur apporter des chocolats au cognac qu'ils appréciaient beaucoup. J'avais touché la corde sensible de l'affectivité. Ces petites attentions améliorèrent leur état et ce fut un plaisir de les soigner. Comme ils se sentaient aimés, leur agressivité fit place à l'humour et ils tirèrent profit des quelques mois d'hospitalisation qui leur restaient.

Chaque personne a besoin de se sentir importante pour une autre, d'être reconnue et de se sentir utile pour pouvoir mordre dans la vie et y trouver un sens. Ne cherchons-nous pas nécessairement un sens à notre vie? Que ce soit dans la santé ou la maladie, cette recherche de sens est toujours présente. Quelques-uns ont trouvé un sens à leur vie dans la prière. «Devenir un seul esprit avec Dieu» (1 Co 6, 17) est l'idéal de tous ceux qui cherchent dans la solitude cette rencontre avec Dieu et qui ont fait leur la parole de saint Paul: «Ce n'est plus moi qui vis, c'est le Christ qui vit en moi» (Ga 2, 20).

En dépit de la solitude et de l'isolement «leur vie s'écoule», pour prendre l'expression du poète allemand Novalis, «comme un rendez-vous d'amour». Ils vont puiser à l'intérieur d'eux-mêmes toutes les énergies dont ils ont besoin pour vivre intensément chaque minute qui se présente.

Une aînée de 75 ans me racontait que pour vivre sa solitude d'une façon positive elle allait vers ceux qui étaient encore plus seuls qu'elle, les malades, les délaissés, ceux qui dans son entourage réclamaient sa présence. Elle revenait chez elle ressourcée, remplie d'une nouvelle énergie. Le bénévolat peut être un outil précieux tant pour les jeunes que pour les plus âgés pour sortir de leur solitude.

Des personnes tricotent pour le tiers monde, par exemple des bas pour envoyer aux lépreux. Des grands-mamans font des vêtements et des jouets pour leurs petits-enfants. Une dame me racontait qu'immédiatement après les fêtes de Noël elle préparait les prochaines en tricotant pour ses enfants et petits-enfants des gilets et des mitaines qu'elle offrait en cadeau. D'autres font de la poterie, de la peinture, etc. Il y a a tant de modalités pour vivre une solitude pleine. Il suffit d'un peu d'imagination et de créativité.

Certaines personnes ont reçu un appel spécial et ont choisi de se consacrer à Dieu dans une vie active ou contemplative. Je rencontrais dernièrement une religieuse trappistine qui fêtait ses soixante ans de vie religieuse. Je lui ai demandé comment elle avait vécu sa solitude durant ces longues années; voici ce qu'elle m'a répondu:

> *Dans ma communauté, j'ai l'emploi de cordonnière depuis cinquante et un ans, seule dans ce travail mais jamais seule cependant. La raison, la voici: outre la présence de Dieu en mon âme, comme en chacun de nous, et à qui je peux m'adresser en tout temps, je vis sous son regard. S'il m'arrive d'être un peu trop absorbée dans mon travail, alors je monte un petit minutier aux dix minutes pour me rappeler la divine présence.*

Cette moniale a trouvé un moyen qui lui est propre pour vivre dans la joie et dans l'amour. Un missionnaire laïque m'avouait qu'il avait quelques difficultés à se concentrer; se laissant déborder par le travail il se sentait dispersé. Le moyen qu'il a trouvé pour s'intérioriser et se centrer, c'est la méditation.

La méditation est un moyen parmi d'autres pour entrer en contact avec Dieu en soi. Celui qui médite se coupe de tous les stimuli extérieurs pour se recueillir en lui-même. Quelques mots évoquent cette réalité de la méditation: arrêt, vide, silence, paix, intériorisation, contrôle, recadrage, détachement, modestie, écoute, durée, visualisation, intuition[1].

L'arrêt: méditer, c'est briser un rythme. Notre vie quotidienne est un enchaînement d'actes qui suscite souvent bien du stress.

Le vide: vient de la nécessité de nous dégager, de nous épurer de tous ces messages qui nous apportent tant de stimuli.

Le silence: pour s'entendre nous-mêmes, nous concentrer.

La paix: qui apporte une réconciliation avec les autres et avec nous-mêmes.

---

[1] Jean-Louis SERVAN-SCHREIBER, *Méditer et agir*, Paris, Albin Michel, 1988, p. 27-30.

L'intériorisation: nous sommes confrontés à tant de problèmes à résoudre, de sollicitations de toutes sortes. Nous avons besoin d'intégrer sous peine de sombrer dans la maladie.

Le contrôle: le fait de nous arrêter, de prendre une posture, de maîtriser notre respiration, nous pouvons alors reprendre une certaine direction, trouver notre équilibre.

Le recadrage: bien placer ce qui nous arrive, trouver nos priorités, retrouver notre vraie place.

Le détachement: nous distancier des événements et des choses, découvrir la relativité.

La modestie: nous avons souvent de la difficulté à nous adonner à cet exercice pourtant si simple, à arrêter ce flux intérieur de pensées de toutes sortes.

L'écoute: permet, dans la méditation, de prendre conscience de ce qui a été vécu et de nous enseigner sur notre attitude et notre comportement.

La durée: cette expérience du temps existe dans la méditation même si nous avons l'impression de ne pas voir le temps passer. Nous avons besoin de vivre la durée pour en apprécier l'instant.

La visualisation: elle est un élément important de notre vie intérieure, elle s'impose à nous (projets, échanges) comme elle évoque ce qui peut arriver dans une journée, dans un mois.

L'intuition: c'est la création de cet espace de disponibilité qui est favorisée par la méditation.

Nous pourrions ajouter que l'intuition est cette voix intérieure qui jaillit de nos profondeurs et qu'il est très important d'écouter.

Même si on définit souvent la méditation comme un état, nous ne sommes pas sans savoir que cet état exige un entraînement, comme tout autre art. Chacun doit découvrir sa voie dans cette façon d'entrer en contact avec le divin en soi, dans le silence et la solitude, loin des bruits, des pensées et des émotions. Il en est de même pour la prière:

> Lorsque l'Esprit établit sa demeure dans un homme, celui-ci ne peut plus s'arrêter de prier, car l'Esprit ne cesse de prier en lui. Qu'il dorme ou qu'il veille, la prière ne se sépare pas de son âme. Tandis qu'il boit, qu'il mange, qu'il est couché, qu'il se livre au travail, le parfum de la prière s'exhale de son âme. Désormais il ne prie plus à des moments déterminés, mais en tout temps[1].

La recherche de Dieu n'est pas une voie de tout repos; elle renferme des moments d'angoisse et d'obscurité, de détresse même, mais elle renferme aussi ses joies et ses moments de béatitude.

La vie en solitude facilite l'écoute du dedans, mais encore faut-il être appelé à cette vie. Nous sommes tous appelés à cette unité avec Dieu, mais dans des cadres souvent très différents. Nous avons chacun une note distinctive qui résonne dans la mélodie de la création; que l'on soit philosophe, artiste, écrivain ou mystique, nous avons à nous réaliser avec nos couleurs et nos originalités.

---

[1] Jacques SERR et Olivier CLÉMENT, *La prière du cœur*, Bégrolles, Abbaye de Bellefontaine, 1977, p. 109.

Chapitre 4

Solitude
et
intériorité

L'appel du silence

Quelques personnes dans mon entourage me disent qu'elles vont faire des cures de silence parce qu'elles ont besoin de se retrouver seules avec elles-mêmes. Où vont-elles? Quelques-unes iront dans un monastère pour quelques jours, d'autres se retireront dans la nature; chacun cherche le meilleur endroit où il puisse vraiment se ressourcer.

La solitude semble alors être un bien nécessaire et elle est recherchée. Une amie me confiait qu'elle vivait le plus souvent à l'extérieur d'elle-même, sur «le balcon» pour employer son expression, et que ces jours de silence lui permettaient de reprendre contact avec elle-même. Après nous être confrontés aux bruits de toutes sortes, le silence peut devenir un remède nécessaire pour refaire notre plein d'énergie et communiquer avec notre univers intérieur.

Cette plongée en nous répond à cet appel du silence, à cette intelligence du cœur si bien décrite par Arnaud Desjardins: «Purifier le cœur des émotions, des interférences inconscientes qui sont la stupidité ou l'inintelligence du cœur, du sentiment qui me donne vraiment la connaissance de la réalité[1].»

Cette connaissance de la réalité est faite des êtres humains qui nous entourent et des situations auxquelles nous avons à faire face. Si ces cures de silence attirent ceux qui veulent faire le point en eux-mêmes et se préparer à faire de nouveaux choix dans leur vie, d'autres par contre vont dans ces solitudes pour prendre contact avec l'Esprit en eux.

Il s'agit de faire sa demeure en dedans, de s'y établir comme le chantent ces versets tamouls:

> Ô Toi qui es venu dans le fond de mon cœur,
> donne-moi d'être attentif seulement
> à ce fond de mon cœur!
> Ô Toi qui es mon hôte dans le fond de mon cœur,
> donne-moi de pénétrer moi-même
> dans ce fond de mon cœur!
> Ô Toi qui es chez Toi dans le fond de mon cœur,
> donne-moi de m'asseoir en paix
> dans ce fond de mon cœur!
> Ô Toi qui seul habites dans le fond de mon cœur,
> donne-moi de plonger et de me perdre
> en ce fond de mon cœur!
> Ô Toi qui es tout seul dans le fond de mon cœur,
> donne-moi de disparaître en Toi
> dans le fond de mon cœur![2]

Le cœur est associé à l'amour. La Bible, surtout le Nouveau Testament, y fait constamment référence. Cet amour grandit par

---

[1]   Arnaud DESJARDINS, *Méditer et agir*, p. 11.
[2]   Abhisiktananda GNĀNĀOUDA, *Le soleil dans le cœur*, Paris, Éditions Présence, p. 129.

le don de soi. Pour agrandir sa capacité de donner, il est nécessaire d'entrer dans notre sanctuaire intérieur. N'est-ce pas ce que le Christ voulait signifier quand il répétait à maintes reprises dans les évangiles: «Le Royaume des cieux est tout proche de vous»?

Pour donner le meilleur de nous-mêmes, nous avons besoin de nous reconstituer dans le silence, d'abandonner le réseau des relations humaines pour plonger dans nos profondeurs. Cette écoute attentive de notre jaillissement intérieur nous conduit à la créativité et à la joie.

La joie et la connaissance dans leur plénitude, c'est connaître avec tout notre être. L'intellect nous isole quelquefois des choses à connaître. L'Éternel présent en chacun de nous ne peut se rejoindre que dans le silence et la solitude. Il nous facilite ce lâcher-prise, ce laisser-aller, ce laisser-vivre et nous ouvre sur l'universel. Il s'agit de trouver ce qu'il y a au plus profond de soi, là où habite la Présence divine. Henri Le Saux parle de cette profondeur en l'appelant le Fond:

> Cette vie dans le Fond, où seul avec Dieu, je suis,
> Cette vie dans le Fond, où seul en Dieu, je suis,
> Cette vie dans le Fond, où seul de Dieu, je suis,
> Cette vie dans le Fond, où Seul... je suis...[1]

Cette rencontre de Dieu en nous nous solidarise avec tous les êtres humains, quelle que soit leur tradition religieuse ou leur idéologie. Elle fait disparaître les frontières et nous ramène au but suprême, proclamé par tous les grands sages de l'humanité, qu'est l'harmonie avec le Divin.

Cette évolution dans le silence n'est-elle pas exaltante? Plusieurs êtres sur la terre ont voulu tout quitter pour tout posséder et se sont retirés définitivement dans la solitude pour conquérir leur unité intérieure.

---

[1]   Henri LE SAUX, *Le Passeur entre deux rives*, Paris, Cerf, 1981, p. 125.

La vie en solitude

Les trois premiers siècles de l'Église avaient été l'ère des martyrs, ces croyants et croyantes qui n'hésitaient pas à donner leur vie pour la foi. Avec la fin des grandes persécutions, un autre type de spiritualité allait se développer: celle des ermites et des moines, qu'on appelait des «martyrs non sanglants».

Le désert occupe une place importante dans la Bible: pensons au peuple hébreu qui y erra quarante ans après la sortie d'Égypte, ou à Jésus qui aimait s'y retrouver pour prier. C'est cette expérience qui incita plusieurs personnes, à partir du IVe siècle de notre ère, à rechercher la solitude d'abord individuellement (ermites), puis en communautés organisées (moines), dans les déserts d'Égypte, de Palestine et de Syrie. La vie y était très rude, mais le zèle de ces moines était si grand que rien ne pouvait les empêcher de tout quitter pour suivre le Christ.

Un des premiers fut saint Antoine (mort en 356), qui rassembla plusieurs disciples autour de lui malgré son désir originel de vivre en ermite. Un autre Égyptien, saint Pacôme (mort en 346), rédigea un règlement pour les moines en présentant l'obéissance au supérieur, l'abbé, comme un moyen d'être totalement disponible à la volonté de Dieu. À la même époque, les premiers monastères furent fondés dans le monde latin: Ligugé en France (saint Martin), Verceil en Italie (saint Eusèbe), Thagaste en Algérie (saint Augustin). Saint Jérôme fut un ermite très célèbre, qui vécut de nombreuses années dans une grotte à Bethléem où il traduisit l'Écriture.

Avec le temps, il y eut de moins en moins d'ermites et de plus en plus de moines vivant en communautés. Mais cette vie partagée n'empêchait pas les moines d'expérimenter la solitude: au contraire, leur but premier était de chercher la présence continuelle de Dieu dans leur vie en quittant le monde extérieur et en recherchant la paix intérieure. La séparation du monde, l'obéissance à l'abbé, la charité fraternelle et le travail manuel se combinaient avec la prière, communautaire et personnelle, dans une vie toute tournée vers Dieu.

Deux noms surtout symbolisent la vie monastique. En Orient, des générations de moines ont suivi jusqu'à aujourd'hui les enseignements de saint Basile le Grand, évêque de Césarée dans l'actuelle Turquie (mort en 379). En Occident, c'est saint Benoît (mort vers 542) qui rédigea une règle, chef-d'œuvre d'équilibre et de modération, qui finit par être adoptée par la presque totalité des monastères occidentaux.

Saint Benoît développa un mysticisme sain et profond où la mortification imposée par l'obéissance, l'humilité et la vie commune ne peut être recherchée comme une fin en soi mais doit aider le moine à voir Dieu en toutes choses et à le louer. Saint Benoît demandait aux moines d'être les plus pauvres des pauvres et de vivre de leur travail.

Au cours des siècles, la vie monastique a connu des périodes de croissance et de déclin, de ferveur et de relâchement. De temps à autre, des réformateurs se sont levés pour rappeler l'idéal des fondateurs. Les cisterciens, sous l'impulsion principalement de saint Bernard (1090-1153), voulaient revenir à la simplicité de la règle bénédictine. Armand de Rancé (1626-1700) réforma le monastère cistercien de La Trappe, proposant une vie très austère.

C'est d'ailleurs un trappiste français qui inaugura la vie contemplative au Canada, en fondant une abbaye en Nouvelle-Écosse (1815). On compte aujourd'hui au pays huit monastères bénédictins (dont quatre de femmes), sept monastères trappistes (deux de femmes) et une abbaye cistercienne. On trouve également des contemplatives de congrégations européennes (carmélites, visitandines, clarisses, dominicaines) et canadiennes (adoratrices du Précieux-Sang, recluses missionnaires).

L'objectif primordial de cette vie en solitude est pour le moine et la moniale de tenter de réaliser en eux-mêmes une parfaite unité avec le Seigneur. Cette unité semble aussi importante que l'air qu'ils respirent; elle suppose un état de total renoncement.

Le renoncement intérieur est une sorte de mort à soi-même, il apporte la libération à celui qui le pratique et le rend plus perméable à l'inspiration de l'Esprit. «En consacrant son attention sur l'Unique, en lui prodiguant son amour, l'ascète s'oublie lui-même. En s'effaçant, il perd sa volonté propre au profit de la volonté divine[1].»

Les différentes vocations de cette vie en solitude sont nombreuses. Elles répondent à différents types de tempérament et de vocations. Elles se présentent comme des chemins, des accès, des passages nécessaires. Pensons à tous ces anachorètes des Indes qui se retirent dans des grottes pour vivre une vie de silence et de solitude.

«Le Seigneur, c'est l'Esprit, et là où est l'Esprit du Seigneur, là est la liberté» (2 Co 3,17). L'expérience spirituelle réside dans cette liberté qui affranchit de tout esclavage, dans ce détachement de tout ce qui n'est pas éternel.

Cette vie en solitude, tant désirée par les mystiques de tout ordre, correspond parfaitement à cette parole du Christ: «L'heure approche, et elle est déjà venue, où les vrais adorateurs adoreront le Père en esprit et en vérité: ce sont de tels adorateurs que le Père demande» (Jn 4, 24). Cette adoration, c'est l'intériorisation de la Présence de Dieu en chaque personne. Toutes les religions veulent aider l'individu à appréhender ce mystère et à vivre à l'intérieur du «Soi». «Le mystère de Jésus c'est le mystère du Soi, la présence de Jésus c'est la Présence du Soi, c'est la Présence à Soi[2].»

---

[1] Henri Le Saux, *Le Passeur entre deux rives.* p. 158.
[2] *Ibid.,* p. 165.

Deuxième partie

Quelques témoins de nos solitudes

Chapitre 5

La femme
et
la solitude

Francine Pelletier écrit: «C'est de la solitude dont souf-frent les femmes aujourd'hui. La solitude morale, d'abord, de faire partie d'un monde (celui du travail) qui désormais nous appartient, mais sans vraiment nous appartenir, qui nous accueille mais sans nous accueillir tout à fait. La solitude émo-tive, ensuite, d'avoir à tout réinventer dans sa vie privée.»

Combien de foyers désunis et de familles monoparentales! Mme Pelletier affirme: «Il y a un prix rattaché à l'émancipation des femmes et ce prix, c'est une vie affective en pièces déta-chées, extrêmement compliquée, souvent très mystérieuse et jamais assurée[1].»

La solitude affective de la femme crée souvent l'angoisse de ne pas être assez bonne pour être aimée et la fait quelquefois douter de sa propre capacité d'aimer. La femme a un équilibre

---

[1] Francine PELLETIER, «Ce que pensent les femmes», *La Presse* (Montréal, 25 mai 1991), p. B-3.

> Si la femme a une longévité plus grande, elle vieillit souvent seule. Parmi les études démographiques des dernières années, les femmes seules dominent nettement et, particulièrement dans l'étude d'Hannoun, le solitaire seul est plutôt une femme (62 %) qu'un homme (38 %). Plusieurs sont âgées (41 % ont 65 ans et plus). En 1988, on comptait 10,1 millions de femmes seules en France pour 8,3 millions d'hommes seuls[1]. Au Canada comme en France, la femme survit à l'homme.
>
> [1] Michel HANNOUN, *Nos solitudes*, p. 22.

à trouver entre la démission ou le réinvestissement, entre l'abandon ou le maintien de l'intégrité personnelle. Elle doit reconquérir cette estime de soi, cette certitude de sa valeur essentielle, en se mettant à l'aise avec elle-même pour être aussi à l'aise avec les autres. Assumer les ruptures inévitables, se défendre contre le repliement, le durcissement, l'emprise des fantasmes: c'est tout un contrat.

Les femmes ont appris à chercher leur satisfaction dans l'accomplissement de leur devoir. N'est-ce pas ce qui nous a valu les familles nombreuses des siècles passés? Plusieurs femmes en sont venues à identifier le devoir au plaisir et à ne plus savoir où chercher leur plaisir. D'autres ont choisi de se dégager d'un statut familial synonyme de dépendance pour aller à la conquête de leur autonomie. Cette valeur, si prisée de nos jours, s'avère quelquefois difficile à vivre.

La personne qui doit se débattre dans des difficultés matérielles et affectives auxquelles elle n'était pas préparée, à la suite d'un divorce par exemple, et qui la plongent dans l'incertitude, vit une difficile réalité. La garde des enfants est confiée dans

85 % des cas à la mère. La vie professionnelle et la vie familiale doivent être menées de front. De même, la femme chef de famille monoparentale doit quelquefois vivre une solitude écrasante qu'elle n'a pas toujours choisie. Denise nous confie son désarroi:

Mon mari a quitté le foyer et m'a laissée avec trois enfants de 10, 8 et 5 ans. Ce départ précipité à la suite d'une altercation m'a plongée dans une angoisse et un stress extrêmes. Je ne me voyais pas évoluer seule avec mes enfants. J'ai dû retourner sur le marché du travail, que j'avais quitté pour me consacrer à ma famille, aller à la recherche de gardiennes et jouer le rôle de père et de mère auprès des enfants. Après quelques mois de cette surcharge de travail, j'ai fait une dépression. J'avais perdu le sommeil, l'appétit et j'étais dans l'impossibilité de m'occuper de mes enfants. J'ai dû être hospitalisée pendant trois semaines. J'ai encore de la difficulté à me remettre de cette séparation.

Plusieurs femmes vivent leur solitude à l'intérieur de leur mariage. Certaines femmes au foyer avouent expérimenter un certain vide et n'ont pas l'impression de se réaliser. Aussitôt que les enfants partent de la maison, elles retournent aux études et cherchent leur épanouissement à l'extérieur. Jeannine a vécu ce genre de situation:

J'ai élevé quatre enfants seule. Mon mari, étant voyageur de commerce, devait s'absenter souvent. M'occuper des enfants était un travail à plein temps qui ne me laissait pas le loisir d'avoir des activités à l'extérieur. Les enfants ont grandi et quitté le foyer. Ce départ était prévu mais laissa un grand vide. Afin de ne pas vivre cette solitude dans l'isolement, j'ai décidé de retourner aux études, en administration. Je pourrais ainsi me lancer à mon tour dans les affaires et peut-être créer mon propre commerce. Je me réjouis aujourd'hui de cette décision car, en plus de meubler mon temps, j'ai réalisé un rêve.

Une autre situation, c'est celle de la femme qui a dû abandonner un travail professionnel qu'elle aimait et dans lequel elle se réalisait pour suivre son mari. Étant obligée de se consacrer exclusivement aux enfants, elle peut vivre certaines frustrations. Elle est coupée d'une reconnaissance sociale et d'une source de satisfaction qui la faisait vivre. Elle peut avoir l'impression de perdre son identité. Le témoignage de Suzanne n'est pas l'exception:

> *Après avoir enseigné 10 ans dans une école secondaire, j'ai été obligée de quitter ce travail. Mon mari a été transféré dans une autre région et, la famille grandissant, j'ai dû me résigner à me consacrer à mon foyer. Ce changement de région a été très difficile, car il m'a coupée de mes amis et de contacts qui me nourrissaient. Je me suis sentie très seule.*

La grande solitude de la femme au foyer réside souvent dans la non-communication avec le compagnon de vie. Celui-ci étant très occupé par son travail professionnel et des intérêts hors du foyer, il s'établit une distance dans le couple. L'épouse vit non seulement l'isolement social, mais aussi l'isolement affectif qui peut être très pénible pour celle qui a tant misé sur cette union. Combien de fois ai-je entendu des femmes me dire vouloir se libérer de cette prison dans laquelle elles s'étaient enfermées, et entreprendre un travail à l'extérieur qui les valoriserait et comblerait ce manque affectif et social!

Il existe aussi la solitude de celle qui vient de perdre son compagnon de route et qui a de jeunes enfants à charge. Elle doit faire face à bien des problèmes tant matériels que psychologiques. C'est un apprentissage qui demande beaucoup de courage pour survivre malgré l'épreuve. Telle a été l'expérience de Rita qui a perdu son mari à l'âge de 38 ans, restant veuve avec cinq enfants. Elle est aujourd'hui heureuse d'avoir pu leur donner une bonne éducation. Les enfants ont pu se prendre en mains très jeunes. Ils ont gagné une autonomie à travers cette grande épreuve de l'absence du père et ont appris à s'entraider.

Quel que soit le chemin parcouru, la perte du conjoint avec qui on a vécu des années heureuses entraîne bien des réadaptations, surtout à une vie de solitude qui demande une confrontation avec soi, une redécouverte de ses priorités. Mon amie Aline qui a vécu cet événement a bien voulu témoigner de cette situation.

Perte du conjoint

À cinquante-huit ans, mon statut de veuve, j'en ai fait une façon de vivre à ma mesure et à mon image, c'est-à-dire: une étape de réflexion, de liberté nouvelle et de mise en évidence des valeurs qui me tiennent à cœur.

C'est arrivé le 21 juillet 1985. Alors que je me prélassais dans la nature, à la campagne, avec ma mère de 83 ans, handica-pée visuelle, mon conjoint était de son côté parti en vacances dans sa famille avec deux de nos enfants et l'ami de notre benjamin. Nous venions de nous attabler, Angélina et moi, pour le repas de midi lorsque retentit la sonnerie du télé-phone. À travers de lourds sanglots, je reconnus à peine la voix de l'un de mes fils: «Maman! ils étaient quatre dans l'auto, papa est mort. Viens vite à la maison!» Mon sang figea un instant. J'avais déjà perdu mon fils aîné dans des circons-tances tragiques. Voilà que ma famille se décime, pensais-je; comment vais-je annoncer cela à Angélina? Son cœur est fragile, elle aussi a perdu son mari en 1983.

Ce midi-là, je sentis monter en moi une force extraordinaire, une force amenée par une forte décharge d'adrénaline certes, mais aussi une force que je qualifie de divine. Cette force m'envahit et me dicta les mots à dire et les gestes à accomplir. Les 60 kilomètres pour me rendre à la ville se déroulèrent en silence. Une prière monta du fond de mon cœur: «Seigneur, donne-moi la force d'accepter ce que je ne puis changer.»

Accepter ce qui est: le moment présent, le seul qui m'appar-tient, voilà ce qui allait devenir mon mot d'ordre par la suite, tout au long de mes années de veuvage. Devenir du jour au lendemain chef de famille, avoir à gérer seule une propriété avec un logement à revenus me parut une montagne au début; même que j'ai pensé tout vendre et aller vivre en appartement. Certaines personnes me le conseillaient fortement tandis que d'autres me disaient que je le regretterais. J'optai donc pour une période de réflexion et décidai finalement de garder notre propriété, au grand soulagement des enfants. J'engageai des ouvriers pour terminer les réparations et les rénovations. Je plantai d'autres arbustes, rapetissai le carré de jardin et y plantai des fleurs l'année suivante. En d'autres mots, j'investis ma demeure d'une énergie nouvelle qui m'aida à me réharmoniser. C'était comme un nouveau départ, un nouveau chapitre de l'histoire de ma vie.

Jusqu'ici, ma vie avait été consacrée surtout à la famille, avec de courts épisodes sur le marché du travail en divers domaines. Je me suis toujours gardé du temps pour moi et cela, mon conjoint ainsi que les enfants l'ont toujours respecté. Ce temps, je l'employais à des activités de ressourcement qui m'aidaient à garder mon équilibre: lecture, musique, cours de croissance personnelle, etc. J'ai même réussi à terminer mon DEC en sciences humaines ainsi qu'un certificat de psychologie des relation humaines. Ma grande soif de connaître le pourquoi de l'existence m'a toujours orientée vers des lectures à caractère philosophique et ésotérique, lesquelles m'ont été d'un grand secours dans les périodes de stress qui ont jalonné ma vie. Ayant eu six enfants (et même plus si je tiens compte de tous leurs amis-es qui se réunissaient fréquemment autour de la table de cuisine jusqu'aux petites heures du matin pour raconter leurs déboires familiaux, leurs interrogations existentielles, leurs amours) a contribué à développer ma capacité d'écoute. Je me sentais utile et respectée, entourée et aimée. Ce n'était pas parce que je devenais soudain veuve que tout cela allait disparaître de ma vie. Au contraire, j'allais continuer à être à l'écoute de mes besoins et aussi tenir compte des besoins de mon entourage: enfants, petits-enfants, mère, frères et sœur, neveux et nièces et bien sûr mes amies.

J'aime comparer ma vie à une rivière qui serpente en allant rejoindre sa source. Je suis celle qui pagaie en canot, une embarcation qu'il faut apprendre à manier pour se sentir en sécurité sur sa rivière. Parfois, je rencontre des rapides, mais je sais par l'expérience de 58 années de vie très mouvementée que je passerai à travers et qu'un paysage d'une grande beauté m'attend au tournant pour récompenser ma hardiesse. Cette façon de comprendre mon existence me permet de vivre pleinement le moment présent avec ses petites et grandes joies, ses petites et grandes peines; car je sais maintenant que rien n'est permanent, tout change tout le temps, et je n'ai qu'à suivre le mouvement sans opposer de résistance.

Si je devais résumer en une phrase ce qui me permet de bien vivre ma solitude, ce serait: la capacité de faire des rêves et la conviction qu'on n'est jamais trop vieux pour les réaliser, aussi farfelus qu'ils puissent paraître aux yeux des autres.

Aline

L'intégration d'un deuil, comme l'a fait Aline, demande qu'on soit bon pour soi-même et qu'on se donne le temps nécessaire pour guérir cette blessure. Elle demande aussi beaucoup de créativité — pour chercher tous les moyens de survivre à cette épreuve. C'est bien ce qu'Aline a fait pour sortir grandie de cette étape douloureuse.

Lorsqu'une femme a renoncé à sa vie personnelle, aux amis et aux choses qu'elle aimait pour suivre son mari, elle peut avoir de la difficulté à s'en sortir et à couper ce lien qui les unissait quand la mort vient les séparer. Elle se retrouve souvent désarmée et sans élan, et vit ce départ dans une grande solitude. Pour sa part, Jeanne a eu beaucoup de difficulté à se remettre de la perte de son conjoint. Elle nous livre ce qui suit:

Quand on a vécu 40 ans avec un mari, qu'on a élevé 6 enfants, c'est très difficile de se retrouver seule. C'est une partie de nous-même qui s'en va. J'ai mis 4 ans à me remettre de ce départ. C'est grâce au soutien de mes enfants et de mes amis que j'ai repris goût à la vie.

Combien de personnes vivent difficilement le départ du conjoint! Je songe aussi à toutes ces femmes à qui on a appris un diagnostic terminal et qui décident d'en garder le secret pour ne pas désorganiser leur famille. Elles s'enferment donc dans la grande solitude de ce secret à porter jusqu'au jour où le soutien sera indispensable pour vivre cette étape. Lucie raconte qu'elle avait décidé d'aller passer un examen de routine et voilà qu'on découvre un cancer du sein. Quels ne furent pas sa surprise et son désenchantement! Voici ce qu'elle nous livre:

Je ne pouvais le croire, j'ai fait promettre au médecin de ne rien dire à ma famille. Mon mari ne le prendrait pas et j'ai voulu m'en sortir par moi-même, espérant toujours qu'avec les traitements de radiothérapie et de chimiothérapie j'obtiendrais une guérison. Mais je dépérissais de jour en jour et je n'ai plus eu le choix de cacher ce grand secret.

Elisabeth Kübler-Ross, dans son ouvrage *Sida*, fait aussi mention de jeunes femmes atteintes de ce virus qui, en plus d'affronter la terrible maladie, ont dû vivre le rejet et l'isolement. Les amis cessent de les visiter, la famille les abandonne. Quelques-unes ont contracté la maladie avec des gens dont elles ignoraient les antécédents et qui s'étaient beaucoup drogués. Une jeune adolescente a contracté cette maladie à sa première relation sexuelle. Que de drames! Que de solitudes!

Vous me rétorquerez peut-être que les hommes aussi vivent la même chose. C'est vrai! Et plusieurs vivent également cette solitude du «secret bien gardé». Mais selon une analyse du Programme des Nations Unies pour le développement (PNUD), le nombre de femmes atteintes du sida pourrait dépasser celui des hommes d'ici l'an 2000 en Afrique subsaharienne, dans les Antilles et en Amérique Centrale. Présentement, le sida est déjà la cause majeure de mortalité chez les femmes agées de 20 à 40 ans dans ces populations.

Chapitre 6

Avance en âge
et
solitude

Les personnes à la retraite

Après de nombreuses années de vie professionnelle ou de labeur dans un travail qui a exigé une somme ininterrompue d'efforts de toutes sortes, le temps de la retraite est désiré. On pense même à l'anticiper et à la prendre de plus en plus jeune. Que de projets on se propose pendant ces années: voyages et expériences de toutes sortes! Et voici que le temps arrive sans qu'on s'y soit trop préparé. Les premiers mois et la première année, les projets abondent mais voici que peu à peu les illusions de départ font place à certaines déceptions. La vie de retraité prend une autre coloration: ce n'est pas tout à fait ce qu'on avait prévu.

Passer d'une situation où l'activité déborde à une inactivité où il y a trop de temps libre peut susciter de l'angoisse. Même si la décision de prendre sa retraite a été un choix libre, la personne peut se sentir mise à l'écart de la vie de travail qui rapporte à la société. La perte du statut social n'est-elle pas vécue durement chez plusieurs retraités? Ce sentiment d'inutilité entraîne quelquefois des gestes irréparables. Le suicide n'est-il pas fréquent chez les retraités? Redevenir non productif, après avoir passé une vie dans un travail qui nous donnait une certaine reconnaissance sociale, c'est avoir l'impression d'être mis de côté.

Vous avez beau jouir d'une rente qui vous permet de vivre à l'aise avec un certain confort, il faut réaménager votre temps et le planifier de façon qu'il vous apporte la satisfaction et le sentiment d'utilité dont chacun a besoin pour survivre. N'est-ce pas un effort exigeant? Jean a bien voulu nous livrer son témoignage:

> *Après une carrière aventureuse et intéressante de 37 ans dans l'enseignement où j'ai occupé à peu près tous les postes et échelons d'autorité possibles, je suis arrivé à ma retraite sans jamais y avoir consacré même une petite arrière-pensée.*

> *J'étais trop occupé jusqu'à la dernière minute. Après l'euphorie des premières semaines, où j'étais libre de mes allées et venues et où je n'avais rien à faire que de regarder la rivière, assis sur mon balcon, je suis tombé dans une grande dépression où je n'avais plus le goût de vivre et ce, même si j'avais l'amour et le support d'une épouse exceptionnelle et des enfants qui m'aimaient. J'ai toujours été une personne active et, pour moi, l'inactivité n'était pas endurable! Pour ajouter à mon désarroi, un de mes frères habitant New York s'est suicidé le jour de Noël. J'ai immédiatement ressenti une certaine culpabilité à cause de certains démêlés que j'avais eus avec lui.*

> *En plus, le montant reçu à l'occasion de ma retraite avait disparu dans la construction d'une maison que j'ai dû vendre à perte. J'étais vraiment «sur mon tas de fumier», comme Job. J'ai formulé un plan secret pour m'enlever la vie — sans faire*

de tort à qui que ce soit, surtout pas à mon épouse. Ce serait un accident qui n'affecterait pas le paiement de mes assurances. Je ne pouvais plus dormir et j'ai graduellement paralysé des bras et des jambes. On m'a hospitalisé pour un mois. Durant tout ce temps, je n'ai parlé à personne, ni de mes plans, ni de mes sentiments. Et je n'ai jamais demandé ou prié pour une guérison — même si mon épouse et mes enfants ne cessaient jamais d'espérer ou de prier. Je vivais seul une «solitude» qui m'écrasait dans mon désespoir.

Une suite d'événements et d'incidents m'ont réveillé et, progressivement, j'ai repris l'équilibre. C'est surtout l'amour et la tendresse de mon épouse et la foi d'une de mes filles qui m'ont sauvé de l'abîme.

Pour la première fois de ma vie, j'ai reconnu mon égoïsme personnel. De juin à décembre, j'ai repris ma mobilité et ma joie de vivre. Le plan saugrenu que j'ai failli mettre à exécution à quelques reprises m'a paru horrible et je l'ai relégué dans le coin des mauvais souvenirs. Je reconnais maintenant à quel point j'étais et j'avais toute ma vie été centré sur ma petite personne. L'égocentricité, c'était mon fort! Oui, j'ai complètement repris la joie de vivre que j'avais toujours connue avant cette période d'entassement de malheurs personnels et je n'ai jamais été si heureux de ma vie, malgré mes 70 années!

La solitude que je ressentais, même si j'étais entouré d'amour, a été remplacée par une grande appréciation de la vie et surtout de ceux qui m'aimaient. J'œuvre maintenant bénévolement, deux jours par semaine, auprès des mourants. Ceux-ci m'ont révélé comment l'amour que le Christ a manifesté aux malades lors de sa venue sur la terre se continue d'une façon particulière auprès des mourants.

Nous ne sommes que des petits miroirs qui reflètent imparfaitement son grand amour infini, de la même façon qu'un *miroir, dans la mesure où il fait face au soleil, peut en refléter les rayons.*

L'authenticité de ce témoignage met l'accent sur l'importance de s'ouvrir aux autres et de donner de son temps. Le temps de la retraite peut être très riche s'il n'est pas gardé pour soi. Nous n'expérimenterons pas l'angoisse du temps libre si nous apprenons à bien le gérer tout au long de notre vie. Que d'occasions se présentent de nous rendre disponibles pour accueillir ceux qui ont besoin d'une présence!

Les grands-parents ont un rôle important à jouer auprès de leurs petits-enfants, mais cela exige de la disponibilité. Il est à considérer que le temps de la retraite est une coupure avec la vie de production, mais elle est continuité dans la relation petits-enfants et grands-parents. N'est-ce pas un rôle social important qui peut bien remplacer l'autre? Le temps sera occupé par mille petits services, des visites, des conseils à donner, des confidences à écouter, etc. Un couple qui a la joie d'avoir des petits-enfants me confiait ce qui suit:

> *Nous attendions impatiemment la venue de notre premier petit-fils. Nous avions du temps à lui consacrer et beaucoup d'affection à lui donner. Il nous a valorisés dans notre rôle de grands-parents et nous a permis de nous sentir encore utiles. Il nous apporte beaucoup d'énergie et nous nous découvrons à travers lui. C'est une vraie merveille. Il nous ramène dans la réalité du «ici et maintenant».*

Le retraité qui serait coupé de son milieu familial aura tendance à valoriser son passé parce qu'il n'aura pas l'impression de vivre le présent de façon satisfaisante. Vivre dans le passé empêche de vivre le présent et d'accueillir le futur. Le retraité qui n'est pas coupé de son milieu familial peut mieux vivre sa retraite, il s'y sent intégré et peut y trouver son épanouissement. Les relations familiales l'aident à structurer le temps.

De même, il est plus facile d'être heureux et de bien fonctionner quand nous jouissons d'une bonne santé mais, lorsque la maladie vient nous clouer sur un lit d'hôpital, que de patience et de courage il nous faut pour attendre la guérison. Le retraité qui devient malade éprouve souvent des moments de frustrations mais l'environnement (épouse, enfants, petits-enfants) peut être d'un grand soutien pour surmonter ces moments difficiles.

L'éloignement des enfants peut amener aussi certaines perturbations dans la dynamique familiale. Il y a des détachements à faire. On se verra moins souvent, on sera coupé de la visite des petits-enfants. Il y aura des moments de solitude à vivre. Le retraité qui n'a point de famille immédiate a peut-être des neveux, des nièces auxquels il s'intéressera et avec qui il aura des relations significatives. Il aura sans doute des amis avec qui il a créé des liens ainsi qu'avec leurs enfants.

Le retraité est quelquefois prêt à se priver pour venir en aide à ses enfants et ses petits-enfants. Il a besoin de donner un sens à sa vie et de se sentir utile, comme il l'a fait tout au cours de son existence. Bien sûr, il ne faut pas qu'il se sente exploité par ses enfants; il doit rester à l'abri des manipulations. Il entreprendra des projets à sa mesure et des activités qui le combleront.

La convergence de mauvaises conditions psychologiques et sociales explique les mauvais départs à la retraite[1]. La famille reste toujours la cellule de base de la société, même à la retraite et peut-être davantage puisqu'on a plus de temps à lui consacrer: on peut visiter ses enfants, les accueillir au temps qui convient le mieux à chacun.

Le retraité aura tôt fait de réaliser que la vie professionnelle n'est pas toute la vie. Bien gérer le temps de la retraite apporte

---

[1] Michel HANNOUN, *Nos solitudes*, p. 60-61.

Une enquête réalisée en France (1980 et 1984) par la Caisse nationale d'assurance vieillesse des travailleurs salariés et la Fondation nationale de gérontologie[1] a fait apparaître quatre types de passage à la retraite: l'épanouissement, la réanimation, le repliement, l'effondrement.

Les chercheurs ont constaté que toute la retraite se joue dans les premiers mois. Les réponses ont montré qu'entre les mois qui précédaient la cessation d'activités et ceux qui la suivaient, les modifications étaient surtout d'ordre subjectif: les craintes d'avant n'étaient pas confirmées, tandis que les espérances n'étaient pas totalement satisfaites. 60 % des interrogés ont tendance à élargir le champ de leurs activités, tandis que 40 % le réduisent. L'enquête faisait apparaître deux tendances opposées dans la façon d'aborder la vie. 32 % se distraient davantage, voient souvent leur famille et leurs amis. Ce sont pour la plupart des ouvriers et des femmes seules. 28 % s'épanouissent: ce sont des cadres moyens surtout. Ceux-là investissent à fond dans les loisirs, mais la famille n'a ni l'étendue ni l'importance qu'elle a pour les précédents.

Le second groupe est constitué de ceux qui se replient sur eux-mêmes et qui s'effondrent. Ce sont deux familles distinctes. Les premiers (28 % des personnes sondées) réduisent leurs activités, ne fréquentent pas beaucoup leur famille et ne se distraient plus guère, mais ce ralentissement est bien vécu. Ce sont essentiellement des cadres. Par contre, 12 % des enquêtés, surtout au nombre du personnel de service, des ouvriers et des femmes, ne voient presque pas d'amis ou de membres de leur famille. Dès avant leur retraite, leur existence pénible les excluait des loisirs. Le passage à la retraite ne fait donc qu'accentuer une situation d'isolement social relatif et préexistant.

[1] Paul PAILLAT, *Le passage de la vie active à la retraite*, Paris, PUF, 1988.

bien des joies puisqu'il permet un renouvellement de ses activités et l'utilisation d'un potentiel jusqu'alors inconnu.

Plusieurs couples de retraités ont de la difficulté à se retrouver ensemble pour vivre le quotidien. La femme qui a toujours travaillé à la maison et en a fait son petit royaume aura une adaptation à faire: elle devra le partager avec son mari à longueur de journée. Certains hommes à la retraite se font un coin bien à eux dans la maison pour éviter toute friction et ils s'y retirent à l'occasion. Une dame de 80 ans, ancienne enseignante, donne le témoignage suivant:

> *Ce qui rend la retraite agréable, je trouve, c'est d'être disponible aux autres, de pouvoir écouter les gens, de pouvoir les voir... Comme je n'ai plus personne, j'ai tout mon temps. Je trouve que c'est une chose très nécessaire d'écouter les autres, d'être disponible, tout simplement[1].*

Les personnes plus âgées

Les retraités qui peuvent encore s'occuper et entreprendre de nouveaux projets affirment qu'ils n'ont pas le temps de s'ennuyer. Mais ceux qui avancent de plus en plus en âge et qui deviennent grabataires, qui terminent leur vie dans la souffrance et l'isolement, ceux-là peuvent désirer en finir et ils vous diront quelquefois: «Le bon Dieu m'a oublié.»

La personne de 80 ans et plus n'a peut-être pas la même énergie à donner qu'au tout début de sa retraite, mais elle peut toujours écouter et se montrer réceptive aux confidences de ses enfants et petits-enfants. Que de sagesse nous pouvons recevoir de cette grand-mère ou de ce grand-père qui se montre disponible à nous accueillir! Quelqu'un affirmait avec raison: «Ce sont des bibliothèques ambulantes par la richesse de leur expérience.»

---

[1] Antoinette MAYRAT, «À propos de la solitude», *Gérontologie*, n° 38 (avril 1981), p. 31.

Mais il existe aussi des circonstances dans la vie où les enfants deviennent en quelque sorte les parents de leurs parents: parce que la maladie les a placés dans une situation de dépendance, ou parce qu'ils subissent une perte d'identité suite à une diminution notable de leur qualité de vie. Il y a donc inversion des rôles. Les parents deviennent les enfants de leurs enfants. Une amie me confiait ce qui suit:

> *Lors d'une opération de ma mère à l'âge de 86 ans qui l'obligea à garder le lit pendant six semaines, elle devint très dépendante et m'obligeait en quelque sorte à être de plus en plus présente auprès d'elle, comme auprès d'une enfant. Si je me faisais remplacer par un autre membre de la famille, elle me le reprochait, j'étais devenue «l'indispensable». Ce fut très lourd à porter, car j'avais l'impression d'être devenue la mère de ma mère dans cette étape de régression qu'elle vivait.*

Quelquefois, le grand âge dépouille le vieillard de ce qu'il a toujours été et des rôles qu'il a joués dans la société. Un extrait de la chanson de Jacques Brel, «Les vieux», est éloquente sur les sentiments que peut vivre le vieillard face à cette vie qui se prolonge et qui ne lui apporte plus cette qualité de vie si nécessaire.

Les vieux ne parlent plus ou alors seulement parfois du bout des yeux.

Même riches, ils sont pauvres, ils n'ont plus d'illusions et n'ont qu'un cœur pour deux.

Chez eux ça sent le thym, le propre, la lavande et le verbe d'antan.

Que l'on vive à Paris, on vit tous en province quand on vit trop longtemps.

Est-ce d'avoir trop ri que leurs voix se lézardent quand ils parlent d'hier?

Et d'avoir trop pleuré que des larmes encore leur perlent aux paupières?

Et s'ils tremblent un peu, est-ce de voir vieillir la pendule d'argent?

Qui ronronne au salon, qui dit oui, qui dit non, qui dit je vous attends.

Plusieurs personnes qui ne peuvent plus être actives en raison de leur état de santé se sentent seules; elles ont besoin d'être visitées, de sentir une présence. D'autres qui jouissent encore d'une bonne santé participent à différents clubs, aux universités du troisième âge; elles continuent de s'informer et de participer à une vie intellectuelle communautaire. Elles voyagent et s'engagent dans des activités qui les intéressent et brisent leur solitude. Il s'établit de plus en plus un réseau d'entraide parmi ces gens du troisième et quatrième âge qui les aident à surmonter les petits problèmes quotidiens.

Les personnes vieillissantes désirent souvent terminer leur vie chez eux. Un service à domicile et un mouvement qui tend à s'étendre, les «aidants naturels», favorisent ce désir et l'encouragent.

S'il est vrai que vieillir c'est être confronté à de multiples pertes, des personnes arrivent tout de même à conserver leur dynamisme au sein d'un isolement profond et à garder une attitude positive face à l'entourage. Ces personnes ont réussi dans le courant de leur vie à développer une confiance en elles qui leur a apporté un sentiment d'autonomie. Elles ont acquis une force intérieure qui leur a permis de vivre leur solitude et de pouvoir se passer d'une relation de dépendance. Leur vie a été éclairée par une espérance et une progression constante vers l'équilibre et le sens du réel. Leur imagination créatrice a exigé des tours de force quelquefois pour avoir soin de leur famille. Vingt bouches à nourrir n'a pas été l'exception dans certaines familles québécoises, ce fut une réalité courante dans les années 30.

Je songe souvent à ma grand-mère Marcotte qui se levait à cinq heures le matin et terminait sa journée à une heure avancée pour avoir soin de ses 14 enfants. Elle faisait tout de ses mains et elle avait toujours du temps à consacrer aux «quêteux» qui demandaient soupe et gîte. Que d'exemples merveilleux j'ai eus sous les yeux lorsque j'étais enfant, qui me marquent encore aujourd'hui, de la part aussi de ces oncles et tantes qui ont grandi dans l'équilibre d'un foyer harmonieux où la patience, la joie, l'accueil étaient de rigueur. Ces exemples sont nombreux dans notre belle province.

Quand nous voyons autour de nous des gens qui vieillissent bien et qui ont tant à nous apporter, je me dis que tout est dans l'attitude mentale et je serais portée à redire cette phrase qui est le titre d'un ouvrage de Jeanne Liberman: «La vieillesse ça n'existe pas.» C'est l'esprit qui commande le corps.

Quand nous lisons le courrier du cœur dans certaines revues, nous pouvons constater la jeunesse d'esprit de certaines personnes qui sont prêtes à refaire leur vie à un âge avancé. Par contre, je ne puis vous cacher mon étonnement quand la raison principale que l'on donne c'est «fuir la solitude». Je comprendrais qu'on désire rencontrer l'autre pour partager ce que l'on a de meilleur en soi. Mais, si notre objectif premier est de «fuir la solitude», nous considérons l'autre comme un «objet», que nous utiliserons pour combler notre vide intérieur. Il ne faudrait pas être surpris que nous allions d'une déception à l'autre, car nous ne rencontrerons jamais l'autre si nous n'avons pas «apprivoisé notre propre solitude». Deux solitudes qui avancent sur le même chemin, ça ne comble pas un vide intérieur, quel que soit l'âge. Nous sommes vraiment prêts à rencontrer l'autre quand nous avons été capables de nous suffire à nous-même sans toujours rechercher ce lien de dépendance qui attend tout de l'autre pour vivre heureux.

Chaque instant qui s'offre à nous est un nouvel apprentissage de la vie dans ses limites comme dans ses moments de grande plénitude. Même si notre besoin de l'autre est très grand, il ne peut remplir notre vide et nous apporter la sécurité que nous recherchons. Cette sécurité, il faudra la trouver en nous-mêmes, car il est impossible de penser que nous pouvons nous trouver en quelqu'un d'autre. C'est tout le sens de l'identité personnelle qui entre en jeu. Cette identité se trouve en marchant sur notre propre chemin et en nous connaissant bien nous-mêmes.

La solitude est génératrice de vie pour autant qu'elle nous amène à être créatifs. Le secret, c'est cette plongée à l'intérieur où nous irons puiser force et inspiration. La lecture des psaumes peut être très nourrissante pour celui qui veut s'en inspirer pour alimenter sa vie spirituelle. En voici un extrait que j'aime particulièrement.

> De quel amour j'aime ta loi!
> tout le jour j'y repense.
> Tes préceptes m'ont fait plus sage que mes rivaux,
> car je les possède pour toujours.
> J'ai mieux compris que tous mes maîtres,
> car ton alliance me donne à penser.
> Je saisis mieux que les anciens
> car j'ai gardé tes préceptes.
> Je n'ai pas voulu prendre la route du mal,
> afin d'observer ta parole;
> ni m'écarter de tes sentiers,
> puisque c'est toi qui m'enseignes.
> Qu'elle est douce à mon palais, ta promesse,
> plus que le miel à ma bouche!
> Grâce à tes préceptes, j'ai l'intelligence
> et je déteste la route du mensonge.
>
> Psaume 118, 97-104

Chapitre 7

Perte
et
solitude

La solitude qui étreint la personne qui vient de perdre un être cher est si grande que la terre semble s'arrêter de tourner. Pourtant, la vie continue autour de soi, même si le chagrin paralyse pour un certain temps.

Ce qui est lourd à porter, c'est l'absence de réponses à nos «pourquoi?» lorsque la vie nous ravit celui que nous protégeons et aimons, comme l'oiseau qui couve son petit sous ses ailes, surtout lorsqu'il s'agit de la perte d'un enfant. À mesure qu'on avance dans la vie, les deuils se succèdent. Ces pertes laissent un grand vide.

La souffrance est difficilement communicable et c'est pourquoi, dans toute grande perte, il existe un sentiment de solitude. Dans ces situations difficiles, le baume pour adoucir notre douleur, c'est l'amitié. Quelqu'un qui nous accueille tel que nous sommes, dans notre réalité de souffrant, et qui nous soutient dans une attitude d'écoute attentive. Pouvoir compter sur un ami dans ces pénibles moments nous aide à traverser l'épreuve et nous permet de sortir notre peine en l'exprimant.

Il ne faut pas oublier tous ceux que la maladie a plongés dans un grand isolement. La perte de l'indépendance, ne serait-ce pas là l'une des grandes souffrances? Que de personnes arrivées à un âge avancé ont à subir de nombreux changements tant dans leur physique que dans leur environnement: quitter le foyer pour le centre d'accueil ou l'hôpital de soins prolongés. Changement aussi au niveau psychologique pour celui qui est touché par la dépression, peut-être même la maladie mentale. Solitude aussi de la personne obsédée par l'idée du suicide, qui ne trouve plus de sens à sa vie. Derrière certaines façades qui paraissent immuables, il y a une âme qui souffre et qui est peut-être prête au dialogue si elle rencontre une personne disponible.

Le mari d'une de mes bonnes amies, âgé de 45 ans, avait décidé de mettre fin à ses jours. Il avait dit à un couple ami quelque temps auparavant: «Je n'en ai plus pour très longtemps à vivre.» Ses amis n'avaient pas trop porté attention à ces mots, pensant qu'il était un peu dépressif mais que ça allait passer. Deux jours plus tard, il se suicidait en laissant ces quelques mots dans une enveloppe déposée sur la table de cuisine: «Je n'ai pas vécu ma vie.» C'était pourtant un homme qui avait un emploi enviable et qui paraissait filer le parfait bonheur. Il n'avait pas pu trouver quelqu'un pour partager cette solitude qui l'habitait et qui l'étouffait.

Que de solitude aussi pour la personne atteinte du sida, pour sa parenté, et pour ses amis. Une personne atteinte de cette maladie peut-elle s'habituer à constater le vide qui se fait autour d'elle? Plusieurs sidatiques sont rejetés et jugés par leur famille et leurs amis jusqu'à leur dernier souffle. Le personnel soignant n'est pas toujours bien préparé à les recevoir et leur fait vivre des rejets par ses attitudes négatives. Ce sont souvent des réactions de peur causées par la méconnaissance de la transmission de cette maladie. Celle-ci nous apprend à redevenir honnêtes, à parler aux autres et à les écouter, à accepter et à aimer davantage autrui et, ce qui est plus important, à définir nos priorités[1].

Une mère qui a donné naissance à un bébé sidatique nous livre ce témoignage:

Je m'inquiète de l'horrible ostracisme dont ces malades sont victimes, de ce qu'ils sont fréquemment traités comme des lépreux. Je sais quel est leur isolement, car c'est par moi que ma fille a contracté le sida, probablement lors de ma grossesse. Pourtant je ne suis pas malade, et n'aurais même jamais su que j'étais infectée s'il n'y avait pas eu la maladie de G.; je veille à ce que ce secret reste un secret. Bien sûr, vivre avec la menace de cette maladie et de tout ce qu'elle implique est un lourd fardeau. Mais je ne m'appesantis pas là-dessus, et je suis heureuse d'être toujours en bonne santé[2].

Solitude aussi de la femme qui doit se faire avorter dans le secret parce que le conjoint n'accepte pas ce nouvel enfant, sous prétexte que les conditions économiques ne le permettent pas ou parce qu'on juge qu'on n'est pas prêt psychologiquement à accueillir ce nouvel être dans sa vie. Quelles que soient les raisons, c'est souvent avec le cœur déchiré que la femme demandera cette délivrance. Elle a quelquefois la difficulté d'avoir à choisir entre le conjoint et l'enfant qu'elle porte.

Que de confidences j'ai reçues à ce sujet! J'ai été amenée un jour à soutenir une personne deux heures avant son avortement. Que répondriez-vous à quelqu'un qui vous demande votre avis sur le geste qu'elle a décidé de poser? Comme intervenants, nous sommes appelés à être des écoutants. Nous pouvons jeter un éclairage sur le vécu de l'autre, mais la décision ne nous appartient pas. La personne a besoin de compassion

---

[1] Antoinette MAYRAT, «À propos de la solitude», *Gérontologie*, n° 38 (avril 1981), p. 30.

[2] *Ibid.*, p. 54.

parce qu'elle est seule face au geste à poser. Notre présence et notre écoute peuvent être très réconfortantes.

Solitude non moins grande pour celle qui porte un enfant et, après quelques mois de gestation, a la douleur de le perdre dans un avortement spontané. Le couple avait beaucoup misé sur ce nouvel être. Que de projets évanouis, que de déceptions! Il y a quelques années, dans un cours que je donnais, l'une de mes étudiantes était si heureuse de nous montrer son ventre et de nous dire qu'elle en était à son cinquième mois: elle attendait son premier-né pour Noël. Tout s'était bien déroulé jusque-là. Au sixième mois, les problèmes commencèrent: elle ne sentait plus bouger le bébé. L'angoisse s'empara d'elle et elle demanda un examen d'urgence. Le gynécologue eut la pénible tâche de lui annoncer la perte de son enfant; il fallait intervenir rapidement. Elle et son mari ont été courageux, mais ils ont eu besoin d'aide professionnelle pour intégrer cette lourde perte.

Solitude aussi lors de la perte d'un conjoint dans une séparation. Pour pouvoir quitter quelqu'un sans trop de déchirements, il faut prendre conscience qu'il existe des périodes de vie ou des situations qui, à un moment donné, se terminent. C'est ce qu'a fait mon amie Francine. Elle avait 44 ans lorsqu'elle a décidé de quitter son mari et ses quatre enfants. La relation se détériorait de jour en jour sans espoir de réconciliation. Elle a opté pour la solution qu'elle jugeait la meilleure pour elle et sa famille.

Toutes ces bousculades de la vie nous acculent à de nouveaux départs et doivent nous amener à une plus grande maturité. Ces nombreuses occasions de développement doivent être acceptées pour être intégrées et nous faire grandir. Il est bon alors de se tourner vers l'avenir et de laisser derrière soi ces années qui nous ont sans doute fait croître, d'avancer avec la certitude que chaque terminaison appelle un commencement. Sortir de sa solitude avec cette agressivité positive qui pousse à aller plus loin, apprendre à «laisser aller», n'est-ce pas apprendre à vivre?

Quand on a compris que la vie n'est pas possession, comme l'énonce si bien Khalil Gibran dans son ouvrage *Le Prophète*, mais bien une succession d'expériences qui nous en apprend sur nous-mêmes et nous pousse à un «plus-être», nous cessons de nous apitoyer sur notre sort, nous nous reprenons en main le cœur plein d'un nouvel espoir.

Solitude des parents qui voient partir leurs enfants, un à un, pour entreprendre leur vie d'adulte. Le couple a vécu en fonction des enfants. Les échanges portaient sur les situations heureuses ou problématiques des enfants et ils sont maintenant face à eux-mêmes et leur vie se ramène à eux. Ils auront peut-être à approfondir une relation qu'ils n'ont pas encore vécue et à se redécouvrir l'un l'autre. Il existe une occasion de dialogue ou d'une distance plus grande si on n'a pas pris le temps d'entretenir la flamme amoureuse. Les divorces après 55 ans ne sont-ils pas de plus en plus nombreux?

Et que dire de la solitude de l'adolescent qui ne sait pas encore qui il est, qui vient de dire adieu à son enfance et de qui on exige qu'il soit déjà un homme! L'adolescent vogue entre deux mondes: celui de l'enfant et celui de l'adulte. Il est en recherche d'identification. L'adolescent a besoin de se conformer aux idées de sa génération. D'où cette nécessité parfois de vivre en «gang» pour s'affirmer et trouver sa valorisation. Il s'adonnera aussi aux sports de compétition pour développer un corps sain dans un esprit sain, mais aussi pour trouver une motivation de vie, un but à atteindre qui exige un dépassement. Le jeune est généreux, plein d'énergie remplie de belles illusions, et il a besoin de canaliser cette énergie dans un projet de vie qui lui apportera satisfaction et dynamisme.

J'ai souvent entendu des adolescents me confier qu'ils se sentaient très seuls même entourés de leurs proches. Ces jeunes avaient des difficultés de communication. L'incommunicabilité, n'est-ce pas la plus grande des solitudes? «On connaît ces adolescents renfermés qui portent en eux tout un monde d'idées ou de sentiments qu'ils ne peuvent exprimer[1].»

Marie a 16 ans et elle vit des expériences amoureuses. Elle aimerait en parler à sa mère, mais elle est dans l'impossibilité de communiquer. Elle sent que sa mère n'accepterait pas que sa fille ait des expériences sexuelles à 16 ans. Elle ira donc vers des amies de son âge pour partager son vécu et effacer la solitude qu'elle ressent face à sa mère.

Que dire de la solitude du malentendant. Il pourra sortir de sa solitude s'il peut utiliser avec son entourage le langage des signes. Ce qui est étonnant, affirme Françoise Dolto, c'est que les enfants sourds ont par le toucher, par l'odorat, par leurs yeux, des moyens de comprendre les gens et leurs gestes inconscients; mais bien sûr un code conscient qui est encore mieux, qu'on appelle la langue des signes, peut leur être enseigné et leur être parlé par les parents qui le connaissent[2]. L'enfant qui peut communiquer avec ses parents sortira de sa solitude et se sentira en sécurité dans la société des entendants.

L'enfant aveugle découvre l'espace dans lequel il est par la perception de la profondeur, de la largeur de la pièce, d'après un radar inconscient qui un beau jour devient conscient[3]. Il développe au maximum l'odorat, le toucher, des sens moins développés chez certains voyants.

Une jeune femme, Denise Legrix, née handicapée sans jambes et sans bras, a réussi à sortir de sa solitude, à se déplacer sans ses jambes, à boire et à manger sans ses mains, à coudre et à broder, à peindre et à écrire le récit de son existence dans son ouvrage *Née comme ça*. Voici ce qu'André Soubiran nous livre dans la préface de ce livre:

---

[1]   Michel HANNOUN, *Nos solitudes*, p. 249-250.
[2]   Françoise DOLTO, *Tout est langage*, Paris, Éditions Succès du livre, 1987, p. 72.
[3]   *Ibid.*, p. 71.

Je n'oublierai jamais ma première visite dans le petit atelier proche de la place d'Italie où Denise Legrix vit au milieu de ses tableaux. Ce que je venais de lire de sa vie me faisait aborder avec infiniment de respect, mais aussi de commisération, cet être dont il me semblait qu'on ne pouvait guère en imaginer sur la terre de plus «blessé». J'ai découvert, parmi des paysages et des fleurs, une jeune femme, au joli visage, dont chaque geste, chaque mot, chaque sourire témoignaient que même la moitié d'un homme ou d'une femme peut vivre, s'il le veut — et dans tous les domaines — autant que ce que vivent les autres, tous les autres, ceux et celles que la Providence a fait venir au monde dans le plus enviable des états[1].

Nous avons au Canada et au Québec de multiples exemples de personnes handicapées qui vivent de grands dépassements soit dans le domaine des sports, des lettres, de la peinture, et qui deviennent des champions dans des compétitions de toutes sortes. Ils sont des modèles pour nous et nous remettent en question par leur courage et leur détermination.

Louis a vécu un traumatisme grave à l'âge de trois ans lors d'un accident de la route où il a perdu ses parents. Ce choc lui a fait perdre l'usage de la parole et, malgré tous les efforts de réadaptation, il lui a fallu 18 ans pour réapprendre à parler. Il avouait se sentir comme vivant derrière un mur de béton. Dans des ateliers de croissance, il pouvait par le dessin exprimer son monde intérieur et sa relation avec la nature, et briser cette solitude qui l'emprisonnait.

Que dire maintenant de celui qui vit sa solitude enfermé dans une maladie mentale et qui a bien peu de chance de s'en sortir. La solitude n'est pas toujours une incompréhension. C'est la difficulté à exprimer ce que nous ressentons. Il y a un terme très juste pour caractériser ce genre de maladie, qui vient des mots grecs *psychè*, âme, et *pathos*, souffrance (psychopatho-

---

[1] Denise LEGRIX, *Née comme ça*, Paris, Éditions Segep-Kent, 1960, p. VIII.

logie, ou souffrance de l'âme). C'est une réalité que vivent de nombreuses personnes sur notre planète et qui est très difficile à supporter pour ceux qui partagent leur vie. Cette souffrance de l'âme se manifeste par des périodes maniaco-dépressives où la personne passe d'un état équilibré à un état de perturbation mentale, tout en gardant sa lucidité. Elle devra être suivie par un professionnel pour recevoir l'aide dont elle a besoin.

La solitude peut devenir un élan de vie pour celui qui en a la possibilité et devenir source de créativité, mais elle peut aussi être écrasante et cause de destruction lorsqu'elle s'accompagne d'une angoisse qui devient détresse. Le témoignage suivant confirme bien cet état de détresse et la solitude engendrée par la mort d'un enfant.

Marc avait 22 ans. Il était notre premier-né, avait un frère de quatre ans son cadet et deux sœurs. Il était doté d'une intelligence supérieure et d'une conscience sociale impressionnante. Vers la fin de l'adolescence, il commença à changer. Il se mit à s'intéresser aux sciences occultes, aux gourous, à fréquenter le mouvement Krishna. Il se cherchait, était mal dans sa peau. Ses frère et sœurs s'en détachèrent lentement. Il s'isola toujours davantage. Je cherchais à le comprendre et passais parfois des heures à l'écouter. Je me sentais impuissante et lui, plus seul que jamais. Il était malheureux et avait du mal à s'intégrer aux valeurs du temps. Il avait quelques amis qui l'aimaient et le respectaient. Mais la vie lui était lourde. Il s'y sentait peu à l'aise et se voyait déjà mieux dans un autre monde. La terre n'était pas faite pour lui. Un matin, nous apprîmes sa mort.

Son jeune frère quitta peu après la maison pour n'y plus revenir, puis cessa de donner signe de vie. Je me suis longtemps sentie comme engourdie, incapable de comprendre ce qui nous arrivait et dans une grande solitude. Ayant compris la souffrance de Marc, je comprenais aussi que, pour lui, l'heure de la délivrance avait sonné. Il n'avait pas réussi à survivre, malgré l'aide psychologique qu'il avait commencé d'aller chercher.

Puis, la maison s'entoura de silence, chacun cherchant à protéger l'autre. Quand j'éprouvais le besoin d'en parler, je me demandais: «À qui? À mon mari? Où en est-il dans sa peine? Que vit-il là-dedans? Vais-je réveiller une vieille blessure en train de se cicatriser?»

Certains films traitant de la mort d'un enfant nous ont aidé à nous reconnaître et à vivre ensemble certaines émotions. Mais après un certain temps, je ne voulus plus en parler. Je m'isolais souvent et y pensais tout le temps. Je sais maintenant que mon mari et mes deux filles y pensaient aussi très souvent. Celles-ci m'ont dit, longtemps après, en avoir beaucoup parlé avec leurs amis. Pourquoi pas avec nous? J'avoue ne pas leur avoir facilité la tâche. La souffrance était tellement grande... Les mots ne sortaient pas, ils restaient pris dans ma gorge, je vivais un cauchemar. Ça dépassait l'entendement. Ma fille m'a reproché dernièrement encore le silence qui a entouré et suivi la mort de son frère. Elle en a souffert aussi. Nous avons donc vécu, chacun de notre côté, la perte de cet enfant, de ce frère, dans la solitude la plus complète.

Maintenant, quand je visite des gens qui ont perdu un enfant, je les incite fortement à briser ce mur du silence qui isole et mine petit à petit. C'est néfaste et malsain. J'ai compris combien sont importants les liens à entretenir avec nos proches en ces jours, en ces mois de deuil. Nous devons aller vers les autres, partager notre douleur et faire confiance. Notre santé mentale en dépend. Ces échanges avec les personnes ayant vécu les mêmes expériences nous aident à guérir, à nous sentir moins seuls.

Neuf années se sont maintenant écoulées depuis la mort de notre fils. Une thérapie m'a aidé à rompre le silence et à m'ouvrir aux autres. Mon seul regret est de ne l'avoir pas fait avant. J'ai compris depuis longtemps que nous sommes tous seuls devant les événements de la vie, quels qu'ils soient, et que nous avons en nous les forces pour surmonter les plus grandes épreuves.

La qualité de vie, enfin la mienne, est ce juste équilibre entre cette solitude nécessaire à une réflexion et à une remise en question des choses, et un partage avec les gens qu'on aime et qui peuvent nous comprendre. À certains moments, le retrait et le silence me sont indispensables. Je les apprécie, surtout à ma maison sur le lac, en pleine nature, parmi le chant des oiseaux et les fleurs qui poussent sous mes mains habiles.

Lise

Que de témoignages pourraient s'ajouter à celui-ci! Dans ces moments de grande solitude, nous sommes tous mendiants de réconfort. Heureux sommes-nous si nous pouvons trouver sur notre route quelqu'un qui nous tend la main et nous offre sa disponibilité et son écoute attentive. Ce récit d'un auteur inconnu est significatif de ces moments de grande douleur.

Une trace de pas

Une nuit, un homme fit un songe. Il rêva qu'il marchait en compagnie de Jésus sur la rive. À chaque scène, il remarquait une double trace de pas dans le sable, la sienne et celle de Jésus. Quand la dernière image s'effaça, il repensa aux traces de pas et s'aperçut qu'à diverses reprises, le long du sentier, il n'y avait qu'une seule empreinte dans le sable. Il se rendit compte que cela correspondait aux moments les plus sombres et les plus tristes de sa vie.

Il s'adressa à Jésus: «Seigneur, dit-il, tu avais dit que tu m'accompagnerais tout le long de la route. Mais je constate qu'aux heures les plus pénibles de ma vie je ne puis retracer qu'une seule série d'empreintes sur le sable. Je ne comprends pas qu'au moment où j'avais le plus besoin de toi tu m'aies délaissé.»

Jésus répondit: «Mon enfant, je t'aime et je ne saurais t'abandonner. Aux jours d'épreuves et de souffrances, quand tu ne vois qu'une trace de pas, c'est qu'alors je te portais.»

Chapitre 8

Déracinement et solitude

Le déracinement, c'est un peu comme une jeune pousse que l'on transplante et qui se demande si, à force d'efforts, elle arrivera à survivre. Être déraciné, c'est être coupé de ses racines, soit par choix, soit par obligation. Mon ami Michel a vécu ce déracinement:

> *En effet, nous pouvons comprendre ce qui se passe dans le déracinement humain en contemplant l'état de ces plantes arrachées de leur milieu nourricier: après quelques heures, elles sèchent, agonisent lentement et meurent.*

> *Les déracinements expérimentés dans ma propre vie ne m'ont pas fait mourir, loin de là, car ils étaient partiels. Mais s'ils n'ont pas conduit à des conséquences plus graves, c'est qu'ils ont été suivis assez rapidement de transplantations, et les racines encore vivantes ont redonné de la vigueur à tout l'ensemble.*

En fait, le déracinement qui m'a été le plus douloureux est celui qui en soi était le plus bénin, presque ridicule à raconter. J'avais une dizaine d'années et, de santé délicate, on m'envoie dans un «préventorium», une maison de santé pour enfants. Là, seulement à une centaine de kilomètres de la maison familiale, seul dans une foule d'enfants, incapable de communiquer avec mon entourage qui pourtant parlait la même langue, je me suis senti un peu comme les plantes déracinées de mon jardin: heureux comme un poisson sur la paille. C'est là que j'ai appris à rédiger ma première lettre sérieuse adressée à ma mère qui avait soigneusement glissé dans ma valise quelques enveloppes timbrées, en me recommandant de lui écrire. Le message était clair et succinct: «Si tu ne viens pas me chercher, je me sauve...» J'étais bien décidé à le faire, mais je n'ai pas eu à exécuter mon projet car, quelques jours plus tard, ma mère arrivait et ramenait sa plante à la maison. L'expérience avait été concluante.

Beaucoup de gens n'arrivent pas à reprendre vie sous d'autres cieux, à s'adapter à de nouveaux modes de vie sans que leur santé en subisse les contrecoups. Lorsque nous avons eu à quitter une région ou un pays, nous avons pu expérimenter cette coupure.

Lorsque nous arrivons à nous sentir plus à l'aise, il est rare, même après de nombreuses années, de nous sentir vraiment chez nous. Nous demeurons toujours un étranger par notre couleur locale ou notre nationalité et, sans vouloir nous faire sentir que nous ne sommes pas de la place, on nous demandera gentiment quelle est notre nationalité.

Je me souviens de ma première année au Chili alors que j'avais 25 ans. J'avais décidé d'apprendre la langue du pays, l'espagnol, en travaillant comme infirmière dans un dispensaire au pied de la Cordillère des Andes. J'avais des moments de nostalgie qui m'amenaient à me cacher pour pleurer à chaudes larmes. Je faisais de gros efforts pour m'adapter à ce pays.

Je faisais rire les compagnes chiliennes par tous les mots que j'inventais pour parler leur langue. Elles me disaient alors: «N'apprends pas trop vite, de quoi allons-nous rire lorsque tu sauras bien parler?» Je riais jaune quelquefois de toutes ces taquineries, car j'avais l'impression, après trois mois, que je ne saurais jamais bien parler, mais il fallait une bonne dose de patience et y mettre le temps. «Vingt fois sur le métier, remettez votre ouvrage.»

Un an plus tard, je dirigeais une école secondaire et j'enseignais en «castellano». Mon petit accent français fascinait mes collègues. J'étais la «gringuita», la petite étrangère. On emploie les diminutifs dans cette belle langue en guise d'affection pour la personne. «Gringa» veut dire étrangère, la «gringuita» sonne plus doux, ça se prend mieux. Mais on reste quand même toujours étranger dans un pays où on a tout de même fait tous les efforts possibles d'adaptation.

Après avoir œuvré pendant neuf ans dans cette belle région de Santiago et m'être fait de nombreux amis, j'étais toujours la «gringuita» à qui on avait permis de s'intégrer, mais dont les racines étaient ailleurs. Ces racines étaient bien présentes puisque nous, «les Canadiens», étions très sensibles à l'invitation de l'ambassade du Canada lors de la fête du 1er juillet. Le fait d'entendre notre hymne national nous mettait des trémolos dans la gorge. Quelle fierté nous ressentions pour notre pays! Nous nous découvrions un patriotisme jusqu'alors ignoré. Qu'il était beau mon pays, quels gens merveilleux y habitaient! J'avais le goût de chanter avec André Daigneault «Le chant de mon pays».

> Tel un souffle odorant qui palpite et qui meurt
> Le chant de mon pays éclate dans mon cœur
> C'est une mélodie de givre et de frimas
> Des concerts de forêt qui courent dans les bois.

Que de personnes sur notre terre subissent des exodes forcés! Des populations sont condamnées à fuir, laissant tous leurs biens derrière eux. Ces gens arrivent parfois à gagner un camp de réfugiés. Ils se retrouvent face à eux-mêmes, dépouillés, sans projet, si ce n'est celui de «survivre». Que pouvons-nous faire pour eux? Quelles sont nos impressions lorsque nous ouvrons notre téléviseur et voyons défiler ces visages meurtris, en quête de cieux plus cléments? Notre première réaction est de souhaiter ne pas être à leur place... mais pouvons-nous vraiment les comprendre dans le confort de notre salon?

Il existe aussi des déracinés qui n'ont jamais pu quitter leur village ou leur ville et qui vivent dans des conditions pénibles: l'eau très rare, des terres sèches, impropres à la culture. Peut-on s'enraciner dans une telle situation?

Ceux qui sont arrivés à quitter ces endroits et à traverser les frontières s'étonnent de l'abondance dont jouissent les pays industrialisés, mais ils gardent au cœur une certaine souffrance de pouvoir profiter de ces biens alors que les leurs sont en état de grande privation et sans espoir de s'en sortir. Mais c'est surtout le gaspillage qui les impressionne le plus.

Je puis les comprendre pour avoir vécu 12 ans à l'extérieur du pays. J'aurais voulu tout récupérer pour en faire profiter tous ceux qui en avaient tant besoin. Je reste encore toujours aussi étonnée, lorsque j'entre dans les marchés d'alimentation ou les centres commerciaux, de constater cette profusion de biens de consommation. Tous ceux qui ont travaillé dans les pays en voie de développement comprendront mon étonnement et cette souffrance de ne pouvoir faire davantage pour répartir toute cette richesse.

J'ai été si marquée par tous les cœurs généreux que j'ai rencontrés en Amérique du Sud qui, tout en vivant dans le plus grand dénuement, vous ouvrent leur humble demeure et vous invitent à partager le peu qu'ils ont. Que d'exemples ils m'ont donnés! Jamais je ne pourrai oublier cette dame âgée qui me faisait cadeau d'une poule vivante, parce que j'étais allée passer 15 jours dans la Cordillère des Andes à visiter et à écouter les habitants des villages. Cette dame avait pour tout avoir un petit jardin et quelques poules. Je n'étais pas sans songer que ce cadeau représentait beaucoup plus que ce qu'il valait. C'était une partie importante de son avoir. Quand on a 26 ans et qu'on reçoit ces marques de reconnaissance, on reste touché pour la vie et on a beaucoup de difficultés à entendre des gens se plaindre le ventre plein et à être le spectateur impuissant d'un gaspillage éhonté.

Quelqu'un disait l'autre jour à des jeunes étudiants: «Si vous gaspillez le pain, vous en manquerez.» Je vous avoue que même dans notre abondance j'ai gardé bien en mémoire mes bons amis de l'Amérique du Sud qui arrivent à survivre et à garder cet accueil chaleureux et joyeux dans le dénuement le plus total et je fais très attention au gaspillage. Je profite des biens qui me sont offerts avec grande reconnaissance, dans la joie du partage, mais aussi très consciente que d'autres en sont privés et vivent tout de même heureux, car ils vivent de l'essentiel, «la noblesse du cœur». Et il me vient à l'esprit cette béatitude de Jésus: «Bienheureux les pauvres, car le Royaume des cieux est à eux.»

Des personnes ont aussi voulu quitter leur pays et aller tenter leur chance sous d'autres cieux. Cet exode désiré les a conduits dans le pays de leur choix. Ce pays est devenu leur patrie d'adoption. Ces gens ont trouvé du travail, quelquefois ils sont arrivés à occuper des postes très valorisants et à s'épanouir dans de nouvelles relations. Ils ont fondé un foyer, ont eu des enfants et continuent d'évoluer dans ce milieu étranger qui est devenu un milieu familier. Michel affirme avoir vécu des déracinements de ce genre:

Les autres déracinements ont été beaucoup plus importants mais je les avais voulus et j'en ai supporté plus allègrement les conséquences. D'abord, ce furent quatre années passées en Espagne où, sans connaître la langue, du moins les premiers mois, j'ai dû me débrouiller tant bien que mal à jouer à l'Espagnol... Ensuite, j'ai quitté ma France natale pour atterrir au Canada où, après de nombreuses années, mes racines ont fini par s'accommoder de leur nouveau terroir de sorte que le «maudit Français» se sent maintenant chez lui et n'a plus envie d'écrire à sa mère pour qu'elle vienne le chercher! Il est vrai qu'il a trouvé une femme et qu'un fils lui est né; ça, ça enracine...

Que dire des itinérants et des sans-abris? Une intervenante qui a travaillé 12 ans avec eux m'avouait ceci:

Ils ont besoin d'être aidés à se prendre en main et non d'être amenés dans une situation qui crée de nouvelles dépendances. Les gens s'achètent du rêve avec la drogue. Ils tentent de se valoriser en sortant des cadres établis. Ils sont pour la plupart dans des situations financières difficiles et sans famille, dans l'incapacité d'être responsables. N'a-t-on pas eu tendance très souvent dans notre société à «déresponsabiliser» les jeunes pour tout transposer sur le dos des parents?

Il y a aussi ceux qui décident de revenir dans leur pays après plusieurs années d'éloignement. Que se passe-t-il donc? Lorsqu'on revient dans son pays, on a souvent tendance à le regarder avec les yeux qu'on avait lorsqu'on l'a quitté. Mais ce pays a évolué, les amis se sont orientés, la vie politique et sociale a changé. On revient donc étranger dans son propre pays et c'est le dépaysement, c'est le choc. D'autant plus qu'on avait l'illusion de ne pas avoir d'adaptation à faire!

Plusieurs personnes décident de retourner dans leur pays d'adoption, soit en raison de leur état de santé, soit pour tout autre motif. Elles auront la surprise d'avoir à se familiariser avec un pays qui leur semble étranger.

J'ai eu cette adaptation à faire et j'ai mis un an avant de pouvoir fonctionner normalement. Ce fut une étape de vie des plus pénibles. J'en serais arrivée à vouloir disparaître si je n'avais pas eu l'aide de ma famille. J'avais alors 38 ans. Toute ma vie a été remise en question et ce fut l'occasion, après cette longue nuit qui a duré neuf mois, d'une nouvelle orientation de vie.

J'ai dû abandonner mes anciennes sécurités pour m'en bâtir de nouvelles, mais cette fois à l'intérieur de moi. Ce fut l'occasion d'une renaissance parce que j'avais vraiment touché le fond du puits. Je bénis maintenant cette «dure passée» qui m'a donné une force plus grande pour faire face aux nombreux dépouillements que la vie nous présente.

Même si nous recevons les appuis dont nous avons besoin, nous sommes toujours «seuls» pour vivre ces souffrances morales, nullement comparables aux souffrances physiques. Je puis vous avouer que ces situations nous enlèvent la peur de la souffrance physique. Si vous avez vécu la détresse, les petites angoisses de la vie quotidienne ne vous atteindront pas; vous les surmonterez plus facilement si elles ont de l'impact sur vous.

La renaissance suppose une «mort à son ancienne façon de vivre» et cette mort s'opère dans le dénuement le plus complet à tous les niveaux de l'être. C'est «la nuit» si bien décrite par saint Jean de la Croix et sainte Thérèse d'Avila. Si nous aspirons à une vie pleine qui, comme l'arbre, donne ses fruits en saison, il nous faudra accepter aussi ces saisons mortes qui, sous l'apparente destruction, portent en germe des fruits merveilleux.

> Voilà, je suis avec toi partout où tu vas.
> Je te garde.
> Tu reviendras en ce pays
> Et tant que mon serment ne sera pas réalisé,
> Je ne te lâcherai pas.
>
> Genèse 28, 13-15

Quelles que soient nos expériences de déracinement, nous avons à les assumer si nous voulons relever de nouveaux défis. Ces déracinements s'intègrent souvent dans une grande solitude, personne ne peut le faire pour nous, sinon nous prêter une oreille attentive pour nous permettre de verbaliser ce que nous vivons et pour nous dépasser. Une amie de la Guadeloupe a dû déménager avec sa famille «en métropole», comme elle disait, c'est-à-dire à Paris. Ce fut un dépaysement et une adaptation douloureuse: ce changement a amené la séparation dans le couple. Elle a pu survivre grâce à l'aide d'une amie qui l'a soutenue durant sa période de transition.

Il existe des déracinements qui sont peut-être plus faciles que d'autres, mais ils demandent tous une bonne somme d'énergie pour rééquilibrer sa vie et continuer sa réalisation dans un nouveau milieu.

Cette solitude à travers nos changements demande beaucoup de courage: il s'agit d'aller chercher l'aide dont nous avons besoin pour survivre. La vie est dépasssement continuel, quelle que soit l'étape parcourue. Nous trouvons notre accomplissement dans le don et dans l'amour. Lorsque nos désirs deviennent des fins en eux-mêmes, nous sommes bien loin de vivre cette unité avec le Christ en nous. Nous nous éloignons de la vérité.

L'idéal de la vérité n'est pas de «tout garder pour soi», mais dans cette conscience que notre vie est service. Cette vie de service peut prendre différentes formes. Elle prendra quelquefois le visage de la douleur, de la solitude éprouvante, mais que de richesses sont cachées au fond de cette souffrance! Ces richesses, nous ne pouvons les découvrir pendant que nous vivons ces moments pénibles, mais seulement après avoir pris du recul, lorsque nous pouvons nous regarder froidement, sans émotion. Nous réalisons alors à quel point ils nous ont fait grandir et que c'était peut-être le prix à payer pour être établi dans cette sérénité et cette joie intérieure que personne ne peut nous ravir.

Chapitre 9

Fin de vie et solitude

Nous avons souvent entendu cette phrase, «la vie est un voyage», plus ou moins long, qui nous conduit chacun sur une autre rive. Cette fin de voyage survient parfois sans que la personne s'en rende vraiment compte, mais d'autres la voient venir de loin. Cette vision peut entraîner une grande solitude puisque le but n'est pas le retour à la santé dans le monde des vivants mais le passage à un autre plan d'existence. Cette étape — où il n'y a plus de projets, où l'individu est dans l'attente d'une éventualité dont il est le spectateur impuissant — le coupe de son entourage, du monde du travail et de la consommation.

La mort, même si elle est un passage obligé pour chacun, demeure toujours, pour celui qui la vit, une étape de grand détachement, de lâcher-prise. Tourner son regard vers l'ailleurs, c'est exprimer à ceux qui restent, sans nécessairement le dire: «Aidez-moi à prendre mon envol, ne me retenez pas, je suis arrivé à la fin de mon voyage.»

Je me souviens d'un monsieur de 87 ans qui avait dû être hospitalisé pendant quelques mois pour une maladie terminale. Il s'alimentait par perfusion. Un jour, lors de la visite de son fils aîné, il lui demande: «Claude, si je leur demandais d'enlever cette perfusion, ça irait plus vite, n'est-ce pas? — Sûrement. — C'est bien, dit le père, je suis arrivé à la fin de mon voyage.» Le personnel médical acquiesça à sa demande. Il réunit sa famille, leur fit ses adieux et mourut deux jours plus tard. Il avait accepté de partir et il s'abandonna doucement pour passer à l'autre rive.

Dans cet entre-deux que vit la personne, que de luttes, que de solitude parfois! Nous pouvons difficilement la comprendre, même avec toute notre bonne volonté, car c'est toujours l'autre qui meurt. Mais c'est en recevant l'autre dans sa réalité présente que nous pourrons mettre un baume à ses angoisses. Notre écoute attentive et notre disponibilité adouciront cette grande solitude de celui qui s'approche du port.

Quelle que soit sa croyance et si détaché qu'un individu puisse être des choses et des êtres aimés, cette fin de vie demeure un déchirement. La rupture brutale des liens qui nous unissent aux autres et qui avaient grandi avec les années est difficile à accepter. En ces moments de grandes confrontations avec soi-même, de grande solitude, une présence silencieuse et discrète saura apporter réconfort et sécurité au malade.

Deux sœurs me racontèrent comment elles avaient accompagné leur père dans ses derniers moments. Elles ont été à ses côtés la dernière semaine avant son départ. Comme il avait été lucide jusqu'à la fin, elles ont pu lui parler, lui rappeler les bons moments passés ensemble, et le remercier pour tout ce qu'il avait fait pour elles. Quand vinrent les derniers moments, l'une d'entre elles lui dit ceci: «Papa, tu peux partir en paix, nous sommes avec toi et tu seras toujours dans nos cœurs.» N'est-ce pas merveilleux de partir entouré d'affection, avec ce souhait de couper nos liens et de nous envoler vers d'autres cieux! N'avons-nous pas souvent tendance à retenir ceux que nous aimons et à prolonger ainsi leurs souffrances?

La prise de conscience que l'angoisse est humaine et que celui qui meurt peut vivre cette angoisse face à cette fin de voyage nous aidera à ne pas banaliser cette réalité, à lui donner toute l'importance qu'elle mérite, et à sécuriser le malade par notre présence affectueuse et remplie de tendresse.

Une attitude ouverte et attentive a le mérite de mettre le malade en confiance pour lui permettre d'exprimer ses besoins. Quelquefois, la peur de l'émotion de l'autre peut mettre une barrière et laisser l'autre dans sa solitude. Il ne peut s'exprimer, percevant un certain malaise chez son accompagnateur.

Plusieurs personnes arrivées à la fin d'un long voyage attendent une libération de cette enveloppe dans laquelle elles se sentent prisonnières. Paul Tournier, dans son ouvrage *Apprendre à vieillir*, nous livre les propos du poète Agrippa d'Aubigné:

> Voici moins de plaisirs, mais voici moins de peines;
> Le rossignol se tait, se taisent les Sirènes;
> Nous ne voyons cueillir ni les fruits ni les fleurs;
> L'espérance n'est plus, bien souvent tromperesse;
> L'hiver jouit de tout; bienheureuse vieillesse,
> La saison de l'usage, et non plus des labeurs.
> Mais la mort n'est pas loin; cette mort est suivie
> D'un vivre sans mourir, fin d'une fausse vie,
> Vie de notre vie, et mort de notre mort.
> Qui hait la sûreté pour aimer le naufrage,
> Qui n'a jamais été si friand de voyage
> Que la longueur en soit plus douce que le port?[1]

Nous savons qu'un voyage ne dure pas toujours et qu'il faut y mettre fin pour en entreprendre un nouveau. Toute

[1] Paul TOURNIER, *Apprendre à vieillir*, Paris, Delachaux-Niestlé, 1981, p. 272-273.

étape de terminaison nous fait vivre en quelque sorte un «mourir» à ce qui existe pour «vivre» à autre chose. Nous devons fixer notre regard au-delà des limites entrevues et avancer pas à pas, seconde après seconde, même si le temps n'existe pas pour celui qui a accepté cette loi du dépassement.

Le Cardinal Danielou, qui a été mon professeur à l'Université catholique de Paris, affirmait: «La mort est une crise de croissance.» Elle est donc une continuité de tous les «mourir de la vie» que, même avec tous les soutiens reçus dans nos différentes expériences, nous avons dû vivre dans la solitude. Personne ne naît ni ne croît à notre place et personne ne meurt pour nous, quel que soit l'accueil à la naissance et à l'accompagnement dans cette fin de vie. Ce qui faisait dire à saint Paul:

> Ce que tu sèmes, toi, ne reprend vie s'il ne meurt. Et ce que tu sèmes, ce n'est pas le corps à venir, mais un grain tout un, du blé par exemple, ou quelque autre semence; et Dieu lui donne un corps à son gré. Ainsi en va-t-il de la résurrection des morts: on sème de la corruption, il ressuscite de l'incorruption; on sème de l'ignominie, il ressuscite de la gloire; on sème de la faiblesse, il ressuscite de la force; on sème un corps psychique, il ressuscite un corps spirituel.
>
> 1 Corinthiens 15, 36-38; 42-444

Quelles que soient nos représentations d'une vie dans l'au-delà, indépendamment de nos croyances, nous sommes face à l'inconnu, mais nous pouvons avoir cette certitude que, même si nous ressentons de la solitude face à ce grave événement, nous ne sommes pas seuls en face de la mort. Toutes les personnes sont solidaires et notre destin est semblable. Nous avons tous à naître, grandir, vieillir et partir un jour. D'autres sont partis avant nous et nous attendent.

Cette rencontre personnelle avec Dieu, comme en ont fait l'expérience de nombreux prophètes et maîtres, nous rend solidaires de tous les humains dans la vie et dans la mort. Par sa mort et sa résurrection, Jésus lui-même nous a montré le chemin qui mène à la vie éternelle. Notre vie n'est-elle pas parsemée de doutes, d'erreurs, de chagrins, d'incertitudes, mais aussi d'espoirs, de confiance, de dépassements?

Mourir, pour plusieurs vivants, c'est trouver une nouvelle façon de vivre, c'est être délivré de certaines expériences qui donnent à la vie sa lourdeur, c'est l'aspiration la plus intime du cœur. Nous sommes conscients qu'un jour ou l'autre il faudra dire adieu à cette terre pour un au-delà encore inconnu. Notre désir d'absolu sera comblé. Ceux qui ont vécu des expériences très près de la mort reviennent réconfortés. Ils ont pris conscience que la vie ne s'arrête pas avec la mort physique mais qu'il y a continuité.

Pour ma part, j'ai compris très tôt que la vie était un voyage et que chaque minute était importante. J'ai essayé d'y donner un sens et d'aller au bout de moi-même. Quelques circonstances auraient pu y mettre fin, j'ai survécu. Je suis reconnaissante au ciel pour la vie, mais, quand je regarde au loin, je suis consciente que cette vie m'est prêtée et que je suis peut-être rendue au deux tiers de mon voyage. Peu importent les années qui restent si elles sont intenses et contribuent à la réalisation de tout mon être.

Je pourrai alors signer le tableau de ma vie en répétant avec saint Jérôme: «Seigneur, j'ai fait ce que j'ai pu aujourd'hui, j'ai mangé le miel de mes ruches, j'ai bu le lait de mes chèvres, j'ai fait ce que j'ai pu aujourd'hui!» Cette phrase, je l'avais répétée dans une pièce de théâtre lorsque j'étais au secondaire et elle m'a suivie toute ma vie. Quelle simplicité de vie et quelle vérité dans cette phrase!

Le voyage de la vie est quelquefois très court, mais non moins intense; quelquefois très bouleversant pour celui qui est l'acteur, mais aussi pour celui qui est spectateur et se sent impuissant face à l'autre qui est un autre lui-même. La vie marche toujours en avant. Vivre, c'est évoluer vers la mort. Accepter qu'il en soit ainsi, c'est dire oui à la vie, c'est adopter une attitude positive face à ce qui vient.

La vie sera toujours inachevée. L'inachèvement est constitutif de notre être. Un jour ou l'autre, nous prenons conscience que nos perspectives sont limitées. Nous aurions encore pu faire autre chose, nous accomplir davantage, un peu comme l'artiste qui termine son tableau et se rend compte qu'il aurait pu ajouter quelques petites touches: il faut accepter de terminer son œuvre. Rien n'est jamais terminé, il nous faut accepter qu'il en soit ainsi.

La mort demeure toujours un déchirement par la rupture brutale des liens qui nous rattachent aux êtres que nous aimons. Mais lorsque nous nous centrons sur ces ruptures, que nous nous y identifions, nous prenons peur, nous développons de l'angoisse. Lorsque nous nous efforçons de faire face à notre fin, nous pouvons aller plus loin, les ruptures deviennent des occasions de croissance.

Un artiste qui vivait de la danse et de la chanson se retrouvait cloué sur un lit d'hôpital, en phase terminale d'un cancer, et affirmait ceci: «De toute mon existence, je ne me suis jamais senti aussi vivant! Car, à travers cette ironie du destin, je constate que je ne suis pas que ce corps.»

Comme tout devient clair et simplifié à la fin du voyage! Nous ne pouvons plus nous conter d'histoires. La vérité apparaît dans toute sa nudité. Lorsqu'arrive cette fin de voyage, le mental n'a plus à se perdre en conjoncture pour masquer le présent, le cœur prend toute la place et il n'attend qu'une chose: pardonner et être pardonné.

Qui peut prétendre ne pas avoir besoin de pardon? *Se pardonner*, c'est passer l'éponge sur le passé, c'est être libéré de tout sentiment de culpabilité, c'est reconnaître qu'on s'est peut-être trompé mais qu'on le regrette. *Pardonner et être pardonné*, c'est offrir à l'autre l'espace de son âme en jetant derrière soi le passé et en mettant l'accent sur la réconciliation. On peut alors s'aban-donner à ce qui vient, lâcher prise et prendre son envol, léger comme l'oiseau, vers cette autre vie qui attend. C'est le pardon qui fournit les ailes pour voler vers l'autre rive et qui apporte le calme et la sérénité à celui qui est arrivé à la fin du voyage.

Conclusion

Chacun de nous doit faire face à bien des embûches sur ce plus ou moins long chemin de vie, mais aussi à bien des plaisirs et des joies profondes.

Nous avons à nous réaliser chacun dans notre voie, mais la réalisation la plus importante de notre vie, c'est nous-mêmes. Cette réalisation demande un effort de disponibilité à notre «Soi», cet être authentique à l'intérieur de nous. Cette réalisation est un chemin de lâcher-prise, de laisser-agir qui conduit pas à pas vers la maturité. Elle ne nous laisse pas de repos. C'est une grande expérience que nous sommes appelés à vivre seul.

Si parfois tous les appuis semblent nous manquer, le Christ ne nous manquera jamais. Il nous délivre de toutes nos angoisses et nous apprend que la vie vaut la peine d'être vécue. La souffrance est acceptée et elle contribue alors à notre épanouissement. C'est la pluie des jours qui nous semblent mauvais qui favorisera la croissance et provoquera un nouveau recommencement.

C'est dans la profondeur de la solitude que nous allons puiser les énergies qui sont tout au fond de notre être, que nous découvrons vraiment qui nous sommes. Cette vision est ouverture sur l'universel. Elle permet de lâcher prise, de laisser aller, de laisser vivre, sans jugement, sans questionnement.

Si la reconnaissance est la fine fleur de l'amour, comme il serait important que notre vie soit parsemée de mercis: merci pour la santé, merci pour l'ami, merci pour tout le potentiel mis en chacun de nous. Merci encore pour la solitude qui me permet d'entrer en contact avec l'Essentiel à l'intérieur de moi. Notre vie deviendrait alors louange et cette attitude intérieure apporte la guérison de toute blessure et assure à celui qui la développe une douce sérénité.

Lorsque nous aurons à prendre notre envol vers cet ailleurs, nous pourrons redire avec saint Jérôme:

> J'ai fait ce que j'ai pu aujourd'hui,
> j'ai mangé le miel de mes ruches,
> j'ai bu le lait de mes chèvres,
> j'ai fait ce que j'ai pu aujourd'hui.

Bibliographie

BALIER, Claude, «La Solitude: dénuement ou plénitude», *Gérontologie*, n° 10 (mars 1973), p. 5-10.

DELISLE, Marc-André, «La solitude, l'isolement social et l'ennui chez les personnes âgées», *Service social*, n° 28 (1979), p. 27-49.

DOLTO, Françoise, *Solitude*, Paris, Éditions Vertiges, 1985; *Tout est langage*, Paris, Éditions Succès du livre, 1987.

FESSARD, Jacques, «L'isolement en gérontologie», *Revue de gériatrie* (1978), p. 251-260.

GABOURY, Placide, *Le voyage intérieur*, Boucherville, Éditions de Mortagne, 1979.

GNÂNÂOUDA, Abhisiktanauda, *Le soleil dans le cœur*, Paris, Éditions Présence, 1970.

GUÉNON, René, *Initiation et réalisation spirituelle*, Paris, Éditions Traditionnelles, 1978.

HANNOUN, Michel, *Nos solitudes*, Paris, Éditions du Seuil, 1991; «Inventaire de nos solitudes», *Magazine littéraire* (juillet-août 1991), p. 56.

KLEIN, Mélanie, «Se sentir seul», *Envie et gratitude et autres essais*, Paris, Gallimard, 1968, p. 119-137.

KRECH, CRUTCHFIELD, LIVSON, *Psychologie*, Montréal, Renouveau pédagogique, 1979.

KÜBLER-ROSS, Élisabeth, *Sida*, Montréal, Stanké, 1988.

LABERGE, Robert, «La nécessité de la solitude», *Psychologie Préventive*, n° 17 (1990), p. 34-37.

LEGRIX, Denise, *Née comme ça*, Paris, Éditions Segep-Kent, 1960.

LE SAUX, Henri, *Le Passeur entre deux rives*, Paris, Éditions du Cerf, 1981.

LINDBERGH, Anne, *Solitude face à la mer*, Paris, Presses de la Cité, 1973.

MAYRAT, Antoinette, «À propos de la solitude», *Gérontologie*, n° 38 (avril 1981), p. 19-31.

Méditer et agir, Paris, Albin Michel, 1988, collection «Question de».

MERTON, Thomas, *Aux sources du silence*, Paris, Desclée de Brouwer, 1952; *La sagesse du désert*, Paris, Albin Michel, 1987.

PAILLAT, Paul, *Le passage de la vie active à la retraite*, Paris, PUF, 1988.

PELLETIER, Francine, «Ce que pensent les femmes», *La Presse* (Montréal, 25 mai 1991), p. B-3.

QUINODOZ, Jean-Michel, *La solitude apprivoisée*, Paris, PUF, 1991.

Santé et solitude, communication présentée au Congrès international «Ageing well» (Brighton, 15-18 septembre 1987).

STARENSKYJ, Danielle, *Les cinq dimensions de la sexualité féminine*, Richmond, Éditions Orion, 1988.

SERR, Jacques et Olivier CLÉMENT, *La prière du cœur*, Bégrolles, Abbaye de Bellefontaine, 1977.

CHINMOY, Sri, *L'enseignement du silence*, Paris, Éditions Sri Chinmoy, 1981.

TAGORE, Rabindranâth, *Sâdhanâ*, Paris, Albin Michel, 1971.

TOURNIER, Paul, *Apprendre à vieillir*, Paris, Delachaux-Niestlé, 1981.

TREMBLAY, Lise, *L'hiver de pluie*, Montréal, Éditions XYZ, 1991.

WINNCOTT, Donald Wood, *L'enfant et le monde extérieur*, 4e édition, Paris, Payot, 1982.

Table des matières

MARQUIS
Montmagny, Qc
mai 1992